BI.LIO.NÁR.IOS,

RICARDO
GEROMEL

BI.LIO.NÁR.IOS,

LeYa

Preparação: Cristine Akemi
Revisão: Juliana Caldas
Diagramação: Desígnios Editoriais
Capa: Ideias com Peso
Ilustrações: André Liberal

Dados Internacionais de Catalogação na Publicação (CIP)
(Angélica Ilacqua CRB-8/7057)

Geromel, Ricardo
Bilionários / Ricardo Geromel. – São Paulo : LeYa, 2014.
272 p.

ISBN 978-85-441-0149-0

1. Finanças pessoais 2. Ricos 3. Riqueza 4. Bilionários
I. Título

14-0793 CDD 332.024

Índice para catálogo sistemático
1. Finanças pessoais

2014

LEYA EDITORA LTDA.
Rua Desembargador Paulo Passaláqua, 86
01248-010 – Pacaembu – São Paulo – SP
www.leya.com.br

■ SUMÁRIO

INTRODUÇÃO

Meu objetivo-mor com este livro não é tornar-me bilionário. Aliás, há apenas uma pessoa no mundo que se tornou bilionária tendo como principal atividade profissional escrever livros: J.K. Rowling, autora do fenômeno mundial *Harry Potter*.

Minha principal motivação para escrever este livro é a mesma que me fez aceitar fazer parte da "equipe da riqueza" (*Wealth Team*) da *Forbes*, um seleto grupo de repórteres da revista norte-americana que cobre a seção de bilionários. Não me formei em jornalismo, caí de paraquedas na *Forbes* e fiquei profundamente empolgado com o privilégio de trabalhar descobrindo e revelando como os mais bem-sucedidos empresários da atualidade fazem para alcançar – e se manter, né Eike Batista? – o topo e acumular vastas fortunas no caminho. Desde o primeiro dia na "equipe da riqueza", tentei encontrar semelhanças entre os diversos bilionários. Meu propósito com este livro é mostrar que os 1.645 bilionários presentes na lista da *Forbes* possuem mais características em comum do que a quantidade de zeros antes da vírgula em suas contas bancárias. Eu acredito que existe um *mindset* bilionário, o que faz com que a maioria desses ricaços pense e aja de maneira similar.

Antes de mais nada, gostaria de deixar claro que não há traços de personalidade predominantes na maioria dos bilionários: uns são tímidos, outros extrovertidos; uns casaram diversas vezes, outros são eternos solteiros, e outros se casaram apenas uma vez com o amor da adolescência; uns demoram para tomar suas decisões, outros são assumidamente mais impulsivos; uns especializam-se em uma área, outros são generalistas. Não sei, e nem é meu objetivo descobrir aqui, se traços de personalidade são inatos ou se alguém pode mudá-los. Porém, para mim está claro que possuir qualquer característica não vai fazer com que você tenha mais (nem menos) chances de tornar-se bilionário.

Independentemente de suas personalidades diversas, quase todos os bilionários parecem seguir à risca oito "regras" que descrevo em detalhes neste livro, enquanto compartilho as curiosas e interessantes histórias desses personagens reais.

Escrevo para a *Forbes* desde julho de 2011. Este trabalho mudou minha visão de mundo. Já me peguei afirmando que alguém "só" tem algumas centenas de milhões de dólares. Vemos bilionários e ramificações de seus impérios o tempo todo: nos nossos produtos preferidos, nas grandes invenções da humanidade, nos aplicativos e *websites* em que passamos boa parte do nosso tempo, nas redes de restaurantes que vemos em todas as megalópoles do planeta, nas roupas que usamos todos os dias, naquela multinacional onde seu amigo trabalha... Nitidamente, uma parte importante do nosso cotidiano ajuda a enriquecer bilionários. O premiado repórter da *Forbes* – e meu grande amigo – Steve Bertoni teve a brilhante ideia de mostrar a presença dos bilionários no nosso cotidiano. Adaptei o texto a seguir e inseri os valores entre parênteses, que representam a fortuna pessoal de cada bilionário no dia da publicação da lista da *Forbes* de 2014 em dólares.

Ao acordar, a primeira coisa que faço todos os dias é checar meu **Twitter** *(Jack Dorsey, 2,2 bilhões de dólares; Evan Williams, 3,5 bilhões de dólares) e* **Gmail** *(Sergey Brin, 31 bilhões de dólares; Larry Page, 32,3 bilhões de dólares) no meu* **Samsumg Galaxy** *(Jay Y. Lee, 4,5 bilhões de dólares; Lee Kun-Hee, 1,7 bilhões de dólares). Depois me visto, com calças jeans* **Diesel** *(Renzo Rosso, 3,3 bilhões de dólares) e uma camisa* **Polo** *(Ralph Lauren, 1,1 bilhões de dólares). No caminho para o escritório, tomo café no* **Starbucks** *(Howard Schultz, 2,1 bilhões de dólares), onde penso que tenho que parar de andar a pé e comprar um carro – adoraria ter uma* **BMW** *(Susanne Klatten, 17,4 bilhões de dólares). Enquanto o computador da marca* **Dell** *(Michael Dell, 17,5 bilhões de dólares) liga, com aquele barulho irritante do processador* **Intel** *(Gordon Moore, 5 bilhões de dólares), abro uma garrafa de água* **Fiji** *(Lynda e Stewart Resnick, 3,5 bilhões de dólares). Ainda tenho ressaca da noite anterior, que foi regada a* **Red Bull** *(Dietrich Mateschitz, 9,2 bilhões de dólares) e* **Sky Vodka** *(Rosa Anna Magno Garavoglia, 3,5 bilhões* *de dólares). Já está quase na hora de ir almoçar e percebo que, em vez de trabalhar, passei a manhã no* **Facebook** *(Mark Zuckerberg, 28,5 bilhões de dólares; Dustin Moskovitz, 6,8 bilhões de dólares; Eduardo Saverin, 4,1 bilhões de dólares; Sean Parker, 2,6 bilhões de dólares; Sheryl Sandberg, 1,05 bilhões de dólares) e buscando voos no* **Expedia** *(Barry Diller, 2,4 bilhões de dólares). Em dúvida entre comer um lanche no* **Burger King** *(Jorge Paulo Lemann, 19,7 bilhões de dólares; Marcel Herrmann Telles, 10,2 bilhões de dólares; Carlos Alberto Sicupira, 8,9 bilhões de dólares) ou no* **Subway** *(Fred DeLuca, 3 bilhões de dólares), encontro um amigo com tênis* **Prada** *(Miuccia Prada, 11,1 bilhões de dólares), camisa* **Armani** *(Giorgio Armani, 9,9 bilhões de dólares), jaqueta* **Zara** *(Amancio Ortega, 64 bilhões de dólares) e óculos* **Ray-Ban** *(Leonardo Del Vecchio, 19,2 bilhões de dólares). Resolvemos não comer e ir bater papo em um bar. Eu tomo uma cerveja* **Heineken** *(Charlene de Carvalho-Heineken, 10,4 bilhões de dólares) e ele pede uma dose de* **Patron Tequila** *(John Paul DeJoria, 3 bilhões de dólares). Conversamos sobre a última luta de* **UFC** *(irmãos Frank e Lorenzo Fertitta, 1,3 bilhões de dólares cada), o último jogo de futebol entre* **AC Milan** *(Silvio Berlusconi, 9 bilhões de dólares) e* **Manchester United** *(Malcom Glazer, 4,2 bilhões de dólares) e sobre os nossos filmes favoritos:* **Guerra nas Estrelas** *(George Lucas, 4,9 bilhões de dólares) e* **E.T. - O Extraterrestre** *(Steven Spielberg, 3,4 bilhões de dólares). Depois, volto ao escritório, mas passo mais tempo no* **Whatsapp** *(Jan Koum, 6,8 bilhões de dólares e Brian Acton, 3 bilhões de dólares) do que trabalhando. Fim do expediente, volto para casa e assisto à entrevista do* **Michael Jordan** *(que só entrou na lista* *em junho de 2014) no programa da* **Oprah Winfrey** *(2,9 bilhões de dólares) e passo a noite jogando* **Xbox** *(Bill Gates, 76 bilhões de dólares; Paul Allen, 15,9 bilhões de dólares; Steve Ballmer, 19,3 bilhões de dólares) na TV* **LG** *(Bon-Moo Koo, 1,5 bilhões de dólares; Bon-Neung Koo, 1,1 bilhões de dólares).*

Bilionários dominam o seu cotidiano

Fortunas de acordo com a lista de bilionários da *Forbes* em 2014.

Apesar de a *Forbes* ter sido criada em 1917, a revista é notória no mundo todo por conta de sua lista de bilionários, que só foi criada em 1987 – ano de meu nascimento. Na primeira lista da *Forbes*, em 1987, havia 140 bilionários, sendo que apenas três eram brasileiros: Sebastião Camargo, fundador do conglomerado industrial Camargo Corrêa, e também proprietário da conhecida marca de chinelos Havaianas; Antônio Ermírio de Moraes, um dos acionistas controladores do Grupo Votorantim, que figura entre os maiores e mais diversificados grupos da América Latina com negócios nas áreas de alumínio, papel e celulose, energia, cimento e outros; e Roberto Marinho, que transformou um pequeno jornal herdado de seu pai em 1925 no maior império de mídia da América Latina, as Organizações Globo. Dentre os três magnatas presentes na lista original, apenas Antônio Ermírio de Moraes fez parte dos 65 bilionários brasileiros da lista da *Forbes* de 2014 com uma fortuna pessoal estimada em 3,1 bilhões de dólares. Moraes faleceu na noite de 24 de agosto de 2014 – o bilionário gostava de manter um estilo de vida simples: dirigia seu próprio carro, andava a pé no centro da cidade e doava quantidades extremas de tempo e dinheiro ao hospital Beneficência Portuguesa de São Paulo, ajudando a transformá-lo em um dos maiores e mais avançados centros médicos da América Latina.

Em 2014, a lista da *Forbes* incluiu 1.645 bilionários (sempre em dólares). Todas as fortunas mencionadas no livro refletem estimativas da *Forbes* em relação ao que o bilionário tinha em 12 de fevereiro de 2014, data usada para calcular a fortuna que saiu na revista com a lista de bilionários em março de 2014. Por causa da cotação do dólar contra o real naquele dia (R$1 = $0,4135), podemos afirmar que cada membro da lista possuía um patrimônio pessoal superior a 2,4 bilhões de reais. Estudo da Boston Consulting Group (BCG), uma das mais importantes consultorias do mundo, com 81 escritórios em 45 países, revela que no Brasil há mais de 70 mil famílias milionárias (em dólares), sendo que 227 famílias têm patrimônio financeiro superior a 100 milhões de dólares. Porém, na data de publicação da lista, em março de 2014, "apenas" 65 brasileiros faziam parte da lista de bilionários da *Forbes*. Esse número aumenta rapidamente, conforme novas fortunas são construídas, e a *Forbes* divulga novos bilionários quase toda semana durante o ano. Na lista de 2014, 268 estrearam como bilionários, incluindo 42 mulheres – um recorde. Alguns novos bilionários são: Jan Koum, ucraniano de 38 anos e fortuna de 6,8 bilhões de dólares, fundador do aplicativo Whatsapp; Alexandre Grendene Bartelle, brasileiro de 64 anos e fortuna de 1,5 bilhões de doláres, que cofundou a empresa que mais manufatura sandálias no mundo com o irmão gêmeo Pedro; Folorunsho Alakija, nigeriana de 63 anos e fortuna de 2,5 bilhões de dólares, a primeira bilionária do seu país, começou sua carreira como secretária em um banco na década de 1970 antes de estudar *design* de moda na Inglaterra. Enriqueceu por ter criado um serviço de *catering* para mulheres da alta sociedade. Em 2014, quatro países estrearam na lista de bilionários da *Forbes*: Algéria, Lituânia, Tanzânia e Uganda.

Em março de 2014, a *Forbes* lançou uma ferramenta que segue os preços das ações de empresas listadas nas bolsas mundiais e mostra a mudança nas fortunas dos bilionários a cada cinco minutos. Portanto, para saber a fortuna de cada bilionário em tempo real, visite o *site*: <http://www.forbes.com/billionaires/list/#tab:overall>.

Vou explicar a metodologia da *Forbes* para encontrar bilionários adaptando o artigo "Is Lula, Brazil's Former President, a Billionaire?" publicado em agosto de 2013. Acredito que a leitura atenta do artigo a seguir esclareça a maior parte das dúvidas sobre quem é considerado bilionário pela *Forbes* e como é o processo de descobrir e revelar a vida desses ricaços. Como vocês irão concluir, o processo é extremamente mais trabalhoso do que sugeriu o humorista e apresentador de televisão Danilo Gentili, no programa *The Noite* ao me perguntar: "Como você descobre um bilionário? Espera um cara de terno mais chique ir ao caixa eletrônico e fica ali vendo quanto ele digita?".

Lula, ex-presidente do Brasil, é um bilionário?

Um caro leitor me perguntou se a Forbes *investigou a fortuna de Luiz Inácio Lula da Silva, ex-presidente do Brasil.*

Eu gostaria de aproveitar esta oportunidade para explicar a metodologia da Forbes *para compilar fortunas.*

Forbes *publicou a primeira lista de bilionários do mundo em 1987. Naquela época, o japonês Yoshiaki Tsutsumi era a pessoa mais rica do mundo e havia 140 bilionários ao redor do planeta. Este ano, a* Forbes *publicou a lista de bilionários em março, apresentando um total de 1.426 bilionários no mundo – recorde de todos os tempos.*

A Forbes *tem jornalistas espalhados pelo mundo fazendo a investigação necessária para encontrar o valor dos ativos dos indivíduos, como imóveis, arte, iates, dinheiro e, obviamente, participações em empresas públicas e privadas. Tentamos checar os números com todos os bilionários. Alguns cooperam; outros não. Nós também consultamos uma série de especialistas externos em vários campos. Ao longo do ano nossos repórteres se reúnem com os candidatos da lista e entrevistam seus funcionários, rivais, advogados e analistas. Às vezes, os repórteres viajam para conhecer bilionários ou até mesmo voam com eles, como Ryan Mac, repórter sediado em São Francisco, fez com o bilionário fundador da GoPro, Nick Woodman. Nosso trabalho também pode ser muito tedioso; Caleb Melby, membro da "equipe da riqueza" da* Forbes, *sediado em Nova York, descreve: "Eu leio os documentos da Securities and Exchange Commission [SEC – Comissão de Valores Mobiliários dos EUA, uma agência do governo federal dos Estados Unidos responsável por regular as bolsas de valores] como se fosse o meu trabalho. Porque é o meu trabalho". Luisa Kroll e Kerry Dolan são as duas editoras que supervisionam toda a cobertura global da "equipe da riqueza" e aprovam os números finais das fortunas dos bilionários do mundo. Elas têm seguido as pessoas mais ricas do mundo há mais de 15 anos.*[1]

Alguns bilionários publicamente não concordam com a avaliação da Forbes. *Um caso emblemático é o do príncipe Alwaleed, que está ameaçando processar a revista por causa de um artigo que levantou dúvidas sobre seu patrimônio líquido. Resumindo: príncipe Alwaleed, sobrinho do rei Abdullah e neto do fundador da Arábia Saudita, aparentemente queria estar entre os dez mais ricos da lista da* Forbes *e ficou muito decepcionado por a publicação classificar seu patrimônio líquido em "apenas" 20 bilhões de dólares, tornando-o a 26ª pessoa mais rica do planeta.*

Alguns outros bilionários, inclusive brasileiros, reagem de forma diferente à lista. Eles preferem não estar presentes, alegando problemas de segurança. Alguns chegaram diretamente até nós e pediram para ter seus nomes removidos da lista. No entanto, se nossa aprofundada pesquisa revela que alguém é um bilionário, vamos manter o seu nome na lista, a menos que a pessoa pertença a uma família real, ou seja, um ditador que acumulou fortuna graças a sua posição de poder. Isso

---

1 Mais detalhes sobre a metodologia da *Forbes* podem ser encontrados no site: <http://www.forbes.com/sites/luisakroll/2013/03/04/inside-the-2013-billionaires-list-facts-and-figures/>.

não quer dizer que fugimos do fogo, até expomos algumas histórias ultrajantes, por exemplo, na matéria "How An African 'Princess' Banked $3 Billion In A Country Living On $2 A Day" (em tradução livre, "Como uma princesa africana acumulou 3 bilhões de dólares em um país que vive com 2 dólares por dia"). Às vezes, a Forbes *também explica porque um nome não está na lista. Veja o artigo "Here's Why Janet Jackson Is Not On Our Billionaires List" (em tradução livre, "Veja o porquê de Janet Jackson não estar na nossa lista de bilionários").*

Depois de ter explicado a nossa metodologia, eu quero destacar que, embora existam alguns bilionários que são políticos, Lula não é um deles. Caso contrário, ele estaria, obviamente, presente na lista da Forbes *atual. Alguns exemplos de políticos que são bilionários: Sebastian Piñera, presidente do Chile, tem uma fortuna estimada em 2,5 bilhões de dólares, e Michael Bloomberg, prefeito de Nova York, tem uma fortuna avaliada em 27 bilhões de dólares.*

Depois de deixar o cargo de presidente do Brasil, a imprensa sugeriu que Lula (ou o Instituto Lula) recebeu cerca de 100 mil dólares para um discurso de 50 minutos para a LG, em 2011. Também saiu na mídia que ele deu palestras para a Microsoft, Tetra Pak, e foi pago por empresas brasileiras de construção, como a Odebrecht, para viajar a seis nações na África e dar palestras para executivos locais. No entanto, não há evidências que sugerem que Lula está perto de se tornar bilionário.

O filho de Lula, Fábio Luís Lula da Silva, apelidado de Lulinha, (ainda) não se tornou um bilionário tampouco. Recentemente, Lula negou publicamente os rumores de que Lulinha tenha um jato de 50 milhões de dólares e que seja um dos donos da JBS, a maior produtora mundial de carne bovina, por faturamento, com valor de mercado superior a mais de 10 bilhões de dólares. Antes que seu pai fosse eleito presidente do Brasil, Lulinha trabalhou como estagiário em um zoológico. De acordo com a imprensa brasileira, em 2004, um ano após a primeira eleição de Lula, o filho lançou a Gamecorp, empresa que produz conteúdo para TV e internet. Em 2005, a mídia brasileira indicou que a Gamecorp recebeu mais de 2,3 milhões de dólares da Telemar, hoje conhecida como Oi. Embora o próprio Lula tenha afirmado que seu filho era o "Ronaldinho do mundo dos negócios", a Gamecorp não foi muito bem e suas perdas já somaram mais de 4 milhões de dólares. Houve uma série de boatos sobre a riqueza da família de Lula, mas nada baseado em fatos reais.

Entre os 46 bilionários brasileiros na lista desse ano [artigo publicado em 2013; em 2014 há 65 bilionários brasileiros], o mais ativo na política é Guilherme Leal, que tem uma fortuna avaliada em 1,8 bilhões de dólares. Leal fez fortuna ajudando a transformar a Natura, versão brasileira da Avon, em um negócio multibilionário. Ele se demitiu da Natura para concorrer como vice-presidente na eleição presidencial brasileira de 2010, mas não ganhou. Hoje, Leal também está contribuindo com novas formas de fazer negócios, como parte do B-Team, com Richard Branson, prof. Mohammad Yunus, Arianna Huffington, Ratan Tata e outros grandes nomes.

Outro bilionário brasileiro que não teve tanto sucesso na política quanto nos negócios é Antonio Ermírio de Moraes, a 74º pessoa mais rica do mundo. Moraes, 85, perdeu uma disputa para governador do estado de São Paulo em 1986.

No Brasil, há um consenso geral de que a corrupção é generalizada e que há muito dinheiro envolvido na política. Na verdade, uma das principais razões por que muitos brasileiros tomaram as ruas recentemente foi para protestar contra a corrupção predominante. O leitor Giuliano Mazzantini comentou um artigo descrevendo curiosidades sobre os 46 bilionários brasileiros: "Tenho certeza de que a lista aumentaria se a Forbes *investigasse contas bancárias de alguns políticos brasileiros. Mas vai ser um pouco trabalhoso, porque a maioria das contas está em paraísos fiscais".*

É amplamente conhecido que o atual governo tem ajudado muitos bilionários brasileiros, notadamente Eike Batista, principalmente por meio do Banco Nacional de Desenvolvimento do Brasil (BNDES). No entanto, Leal é o único bilionário brasileiro que está envolvido com a política em tempo integral. A Forbes *está sempre tentando descobrir novas informações e novos bilionários. Dicas que levem a novos bilionários, políticos ou não, são sempre bem-vindas.*

Antes de mergulharmos no grosso do livro, acho que vale a pena contar a minha trajetória, de como virei um "caçador de bilionários", ou como disse Lucas Mendes, âncora do *Manhattan Connection*, "grão-mestre dos bilhões".

QUEM SOU EU?

Nasci e cresci em São Paulo, capital financeira da América Latina. Minhas duas principais paixões (antes de conhecer minha noiva) sempre foram ler e jogar futebol. Ao me formar no ensino médio do colégio Sion, encarei o dilema de estudar economia na Universidade de São Paulo (USP) ou, como muitos brasileiros, me dedicar ao sonho de ser jogador profissional de futebol – fui capitão do Juventus da Mooca na adolescência, e meu irmão é jogador profissional, atualmente defendendo as cores do Grêmio. Então, inesperadamente, recebi uma proposta de bolsa de estudos da Universidade Farleigh Dickinson (FDU), em Nova Jersey, que na época havia sido eleita a sétima melhor faculdade dos Estados Unidos em empreendedorismo pela Princeton Review. A contrapartida para a minha bolsa de estudos era que eu teria de defender a equipe de futebol (*soccer* como dizem os americanos) da faculdade, que havia sido campeã durante quatro anos seguidos. Eu nem sabia o que era o SAT (espécie de vestibular dos EUA), mas acabei aceitando, mesmo sem ter pesquisado sobre como estudar em alguma outra universidade nos Estados Unidos. A FDU estava localizada a 15 minutos do centro de Manhattan e meu sonho era viver no que eu considerava, e ainda considero, ser a capital do mundo. Me formei em três anos em vez de quatro (como descobrirá com a leitura do livro, o homem mais rico do Brasil, Jorge Paulo Lemann, fez o mesmo) e resolvi pendurar as chuteiras por pensar: "Não me destaquei na liga de *soccer* universitária americana. Logo, minhas chances de chegar longe como jogador de futebol profissional a uma liga relevante são pequenas e eu quero ser e estar entre os melhores em qualquer coisa que fizer. O futebol vai ser frustrante para mim, vou buscar outra profissão". Sempre fui inquieto e busquei ser 100% independente financeiramente, por isso durante a faculdade – enquanto tinha mais cursos que os outros para me formar mais rapidamente – também trabalhei como supervisor de um hospital em Manhattan nos finais de semana, fui mentor de matemática, vendi seguros de vida, trabalhei em uma divisão do Citigroup, fui mascote do time de basquetebol, trabalhei na academia da faculdade e na lavanderia do time de *soccer*.

Ao me formar, passei um ano viajando pelo mundo, principalmente na Itália e França. Sou cidadão italiano e fiz questão de explorar minhas raízes e me tornar fluente na língua de Dante. Depois do ano sabático, comecei a trabalhar no mercado de *commodities* agrícolas para a

Noble Group, um dos maiores conglomerados de *trading* do mundo, fundado pelo bilionário inglês Richard Elman, que conheci em Hong Kong – também trabalhei nos escritórios de Lausanne (Suíça), Buenos Aires, Montevidéu e São Paulo.

Saí da Noble Group para me mudar para Paris e ingressar no curso de pós-graduação Masters in Management da ESCP Europe, a escola de negócios mais antiga do mundo, fundada em 1819. Não sei ao certo quando, mas após assistir a uma conferência sobre investimentos no Brasil na universidade, conheci Hildete Vodopives, brasileira radicada em Paris que me convidou para escrever sobre economia no seu blog BrazilGlobal. Resolvi aceitar principalmente por estar receoso de que a vida acadêmica me distanciasse demais do "mundo real". Não imaginava que minhas mal traçadas linhas naquele blog seriam o embrião para cavar um espaço na *Forbes* anos mais tarde.

Em uma festa da faculdade, celebrando que o programa que eu cursava havia sido eleito o número um do mundo pelo Financial Times, conheci um ex-aluno que me convidou para fazer entrevistas para o Grupo Bolloré, conglomerado francês que opera a mais extensa rede de logística integrada da África – os donos da empresa são os herdeiros da bilionária família francesa Bolloré. Fui contratado para ser gerente de projetos em Guiné Conakry. Minha principal missão era estreitar a relação com a Vale, que estava fazendo investimentos multibilionários no país.[2]

Terminada a experiência profissional na África, antes de voltar aos estudos em Paris, fui para Nova York representar a universidade na sede da ONU – no imponente prédio planejado pelo arquiteto brasileiro Oscar Niemeyer – participando do National Model United Nations (NMUN), evento que reúne estudantes das principais universidades do mundo inteiro. Cada universidade representa um país-membro da ONU e os estudantes acompanham o dia a dia de um diplomata ou funcionário da ONU. Foi uma delícia, mas descobri que preciso estar em um ambiente onde a meritocracia é o que te faz avançar e desisti da carreira diplomática. Durante esse período em Nova York, fui convidado pela *Forbes* para escrever sobre mercados emergentes. Comecei a escrever para a renomada revista norte-americana, fundada em 1917, em julho de 2011.

Depois do período em Nova York, antes de retornar a Paris para completar os estudos na ESCP, trabalhei durante um verão em Pequim. Minha missão era levar chineses – jogadores, técnicos, árbitros, médicos esportivos, dirigentes, entre outros – para se aperfeiçoar com cursos na Granja Comary, Rio de Janeiro.

---

2 Para os mais curiosos: as minhas duas revistas favoritas – a brasileira *Piauí* e a norte-americana *The New Yorker* – divulgaram interessantes artigos sobre as ações da multinacional brasileira no pequeno país do oeste da África.

Fluente em cinco línguas e com experiências profissionais em cinco continentes, retornei a Paris para continuar, apaixonadamente, meus estudos. Fiz parte de um grupo de estudantes que foi patrocinado pela câmara de comércio Israel-França juntamente com diversas outras empresas para viajar por mais de dez cidades em Israel e descobrir porque o país do Oriente Médio é conhecido como "The Startup Nation" (nação das empresas nascentes de tecnologia). Visitamos os escritórios de gigantes como Google, Procter & Gamble, Qualcomm; nadamos no Mar Morto e batemos papo com o vencedor do prêmio Nobel em Química, Dr. Dan Schechtman, sábio que acredita que "empreendedorismo é a única maneira de manter paz ao longo prazo no Oriente Médio" e que me convenceu de que a melhor chance para ter sucesso é "multiplicar tentativas e nunca cometer o mesmo erro duas vezes". A missão foi um sucesso e voltamos para Paris cheios de ideias inovadoras.

Antes de me formar, a Ernst and Young , consultoria que emprega mais de 190 mil pessoas ao redor do planeta, patrocinou uma viagem de um grupo de estudantes, do qual eu fazia parte, a Shangai. Nosso objetivo era fornecer consultoria a empreendedores estrangeiros na megalópole chinesa. Ao retornar da Ásia, me formei com a tese "Por que Empreendedores de Sucesso se Dedicam à Filantropia?".

Como você pode reparar na minha trajetória, meu *slogan* pessoal é "Não sei qual é a pergunta, mas a resposta certa sempre é viajar". Sempre viajei muito, por trabalho, estudo, família, lazer e qualquer outra desculpa que consegui – a propósito, boas desculpas para viajar sempre são bem-vindas. Viajo porque creio que o melhor investimento possível a fazer enquanto jovem é investir em mim mesmo. Viajar foi a melhor maneira que encontrei de aprender mais e mais rápido, pois saindo da minha zona de conforto, aprendi novas línguas e maneiras de viver, pensar, sentir, decidir, medir; desafiei o que considerava verdade; adquiri bagagem cultural; e espero um dia ser uma pessoa densa que consegue ter verdadeira compaixão e me colocar no lugar do outro. Finalmente, entendi que o mundo é um lugar pequeno e gigante ao mesmo tempo.

Amyr Klink, explorador brasileiro que foi o primeiro a atravessar o Atlântico Sul a remo e a circunavegar a região polar antártica, deu uma palestra de fim de ano para a Noble Group (aquela empresa onde trabalhei como *trader*). Ele explica melhor do que ninguém:

"Um homem precisa viajar. Por sua conta, não por meio de histórias, imagens, livros ou TV. Precisa viajar por si, com seus olhos e pés, para entender o que é seu. Para um dia plantar as suas próprias árvores e dar-lhes valor. Conhecer o frio para desfrutar o calor. E o oposto. Sentir a distância e o desabrigo para estar bem sob o próprio teto. Um homem precisa viajar para lugares que não conhece para quebrar essa arrogância que nos faz ver o mundo como o imaginamos, e não simplesmente como é ou pode ser. Que nos faz professores e doutores do que não vimos, quando deveríamos ser alunos, e simplesmente ir ver."

Amyr Klink

Buscando a melhoria pessoal, acabei criando algumas vantagens competitivas e cavando um espaço na "equipe da riqueza" da *Forbes*. Minha *expertise* com línguas e conhecimento de diversas culturas, meu tempo como *trader* de *commodities* agrícolas e meus dois diplomas em *business* me deram as ferramentas necessárias para realizar as complicadas avaliações dos valores das empresas dos suspeitos bilionários. Apesar de não ter estudado jornalismo, na *Forbes* me encontrei profissionalmente. Eu viajava todos os dias, sem sair de Nova York. Uma semana normal incluía pesquisas aprofundadas sobre um bilionário do ramo da educação no Brasil, verificação da fortuna da família dos herdeiros da mais antiga firma de diamantes na Europa, telefonemas para herdeiros dos maiores bancos da América Latina, discussões acaloradas com secretárias de bilionários europeus; cheguei a pesquisar por um considerável tempo qual seria o tamanho da fortuna da Igreja Católica – desisti antes de chegar ao fim dessa. Não sei se serei jornalista para sempre, mas não há dúvidas de que cobrir bilionários me fez ir a fundo nos mais diversos temas e setores da economia mundial. Aprendi que o brasileiro mais rico se formou em três anos em vez de quatro em uma universidade nos EUA e no início da carreira trabalhou brevemente como jornalista. Também vi o segundo americano mais rico explicar que "um gestor deve escrever muito bem. Esse deve ser seu principal ponto forte. Se você não domina a escrita, possivelmente não pensa com a clareza necessária para se tornar um profissional de investimentos de classe mundial. Você deve saber convencer, entreter e chamar atenção com seus textos, ou está morto como gestor". Na *Forbes*, aprendia sobre os mais variados temas, lia o tempo todo e ainda era pago para isso. Estava no paraíso. Acha que estou exagerando? Segue um parágrafo de um artigo que escrevi em março de 2013:

Um bilionário é chamado Deus. Eu nunca pensei que iria escrever ou ler isso, mas, "Deus nasceu no Azerbaijão e seu patrimônio líquido é de 3 bilhões de dólares. Um magnata do mercado imobiliário teve Mike Tyson como seu padrinho de casamento em uma cerimônia que custou mais de 1 milhão de dólares. Um bilionário foi acusado de ter relações sexuais com sua enteada, outro bilionário foi acusado de ter relações sexuais com uma prostituta menor de idade. O bilionário que mais perdeu dinheiro no ano viu sua fortuna evaporar mais de 53 mil dólares por dia, em média, durante um ano, enquanto seu filho atingiu e matou um ciclista ao dirigir sua Mercedes-Benz SLR McLaren. Um bilionário de Nova York foi proibido de entrar na rede de restaurantes japoneses ultrachique Nobu.

Fico encantado em aprender e compartilhar essas baboseiras divertidas que deixam claro que, apesar de os bilionários serem mestres na arte de ganhar dinheiro, não são exemplos para tudo na vida. Na *Forbes*, minha principal conquista até aqui, além dos amigos que ficarão para a vida toda, foi ser coautor da matéria de capa com a presidente do Brasil Dilma Rousseff, que havia sido eleita a terceira das mulher mais poderosa do mundo.

Apesar de ter adorado trabalhar para a *Fobes*, eu acabei abandonando a redação para empreender. Segui contribuindo e "caçando bilionários" como freelance, e continuei apaixonado pelo tema "bilionários". Certo dia, minha noiva Madison, sem querer, introduziu a ideia de dividir com o mundo minha descoberta de que os bilionários possuem mais características em comum do que a quantidade de zeros antes da vírgula em suas contas bancárias. *Voilá!* Aqui está o livro. Se gostar, agradeça a Madison.

A minha amada noiva sempre diz que é superficial focar nas pessoas mais ricas do mundo enquanto mais de 40% da população mundial luta para sobreviver com menos de 2 dólares por dia e a mesma quantidade de pessoas não têm acesso nem a saneamento básico. Ela acredita que devemos nos concentrar em ajudar aqueles que mais precisam de nossa ajuda. Se você concorda com ela, comece lendo o capítulo 6 ("Bilionário é sensível à filantropia"). Tento mostrar a Madison e aos caros leitores que muitos bilionários estão definitivamente comprometidos em melhorar este mundo. Creio que, em grande parte graças às ações de alguns bilionários, veremos o fim da miséria absoluta ainda nessa geração.

Foi uma delícia voltar a escrever em Português. Parti do Brasil em 2005 e as únicas coisas sérias que escrevi em língua portuguesa foram um perfil de Walter Torre para a *Forbes Brasil*[3] sobre o engenheiro por trás do novo estádio do Palmeiras, e dois artigos a convite da UOL em 2014: "Caridade e Curtição: Como o Príncipe Bad Boy Está Vivendo A Copa e O Brasil" e "Como Um Bilionário Curte a Copa do Mundo".

3. Em julho de 2014, a *Forbes* revelou ter 39 acordos de licença para edições internacionais, a *Forbes Brasil*, do publisher Antonio Camarotti, é uma delas. Eu sou um fã do editor-chefe da *Forbes Brasil*, Ronny Hein.

1

BILIONÁRIO GOSTA MAIS DE GANHAR DO QUE DE GASTAR!

"O verdadeiro prazer está em construir, não em ter."

GEORGE JOSEPH, bilionário que afirma usar os mesmos ternos há mais de 25 anos.

Pergunte-se: o que você faria se acumulasse 1 bilhão de dólares? Você iria à praia, colocaria os pés para cima e viveria à sombra de um coqueiro? Se a resposta for: "com 1 bilhão de dólares no bolso, eu nunca mais trabalharia!", desculpe, mas desista de se tornar bilionário. Não é a acumulação de capital o que realmente motiva os bilionários!

Torrando 100 mil dólares por dia, sem comprar nenhum ativo que tenha algum valor duradouro (participação em empresas, imóveis, carros, lanchas etc.), você vai gastar 3 milhões de dólares por mês ou 36 milhões de dólares por ano. Ou seja, nesse ritmo, em aproximadamente 30 anos a fortuna de 1 bilhão de dólares seria desperdiçada. Com 500 milhões de dólares, você pode gastar 50 mil dólares por dia durante 30 anos. Os ricos motivados apenas por dinheiro geralmente são capazes de fazer estas contas, então decidem parar de trabalhar antes de se tornarem bilionários para se dedicar integralmente a gastar sua fortuna.

Um executivo do mercado financeiro revelou à revista *Exame* em 1998: "Para Jorge Paulo [Lemann] trabalho é diversão... Ele não trabalha pela chegada, mas pela viagem". Naquela época, a fortuna do suíço-brasileiro, que hoje é o homem mais rico do Brasil e da Suíça, ainda era uma fração de sua fortuna na lista de bilionários de 2014: 19,7 bilhões de dólares. Se você não sente prazer nos esforços do dia a dia e conta as horas para a chegada do fim de semana, é melhor rever sua atividade profissional, pois claramente não é assim que a maioria dos bilionários alcança o topo. Se a sua motivação é enriquecer para deixar de trabalhar, há grandes chances de que você esteja na estrada errada. Segue a dica de Dee Hock, fundador da empresa de cartões de crédito Visa: "Dinheiro não motiva nem as melhores pessoas, nem o melhor nas pessoas".

Não há atalhos para o sucesso. Malcom Gladwell, autor de diversos *best-sellers*, entre eles *Fora de Série – Outliers* que explica porque para ter sucesso é preciso se dedicar de corpo e alma durante anos ao mesmo projeto. A tese central do delicioso livro de Gladwell é de que, para chegar ao topo em qualquer área, são necessárias no mínimo 10 mil horas de alta dedicação em um determinado tipo de trabalho. Para chegar a essa conclusão, Gladwell estudou a vida de diversas pessoas que chegaram ao topo de suas profissões. O autor afirma que os bilionários Bill Gates e Paul Allen, cofundadores da Microsoft, estudavam em um colégio elitista que já providenciava acesso a computadores em uma época que pouquíssimas universidades no mundo tinham as tais máquinas. Ainda adolescente, Bill Gates costumava acordar no meio da madrugada, pular a janela da casa de seus pais e correr para o colégio para passar tempo no computador. O homem mais rico do mundo só chegou ao topo por ter passado mais de 10 mil horas desenvolvendo *softwares*, em um período em que poucos tinham acesso a computadores. Após a agradável leitura dessa obra, será difícil não condenar à morte os conceitos de que o que leva as pessoas ao topo é algum tipo de dom ou talento natural.

Outro exemplo que reforça a teoria das 10 mil horas de trabalho: os Beatles. Em 1960, enquanto ainda eram uma banda de rock desconhecida e composta de adolescentes no ensino médio, os Beatles foram para Hamburgo, na Alemanha, para tocar nos bares locais. O grupo era mal pago, a acústica era terrível e o público-alvo constantemente mostrava-se insatisfeito. Então, como os Beatles lucraram com a experiência em Hamburgo? Acumulando horas de trabalho! À medida que o grupo melhorava suas habilidades, o público exigia mais apresentações e mais tempo de palco. Segundo Gladwell, em 1962, eles já estavam tocando 8 horas por noite, 7 noites por semana; em 1964, ano em que o grupo estourou no cenário internacional, os Beatles já tinham realizado mais de 1.200 concertos. Para comparar, a maioria das bandas de hoje não se apresenta 1.200 vezes em toda a sua carreira. Repito: não há atalhos! Durante dois anos, os Beatles tocaram 8 horas por noite, 7 dias por semana!

Será mais fácil chegar ao topo se você trabalhar com algo que goste de fazer. Se você estiver tão enamorado com a sua profissão que tenha dificuldade em fazer alguma outra coisa, será mais fácil acumular as tais 10 mil horas. Durante um discurso de formatura na Universidade de Stanford, em 2005, o bilionário Steve Jobs, fundador da Apple, disse: "Se hoje fosse o último dia da minha vida, eu iria querer fazer o que estou prestes a fazer hoje? Se a resposta for 'não' por muitos dias seguidos, sei que preciso mudar algo". Vou colocar dessa forma: se o seu compromisso com a sua paixão termina todos os dias úteis às 5 da tarde, você vai ter dificuldade em acompanhar os competidores que encontram verdadeiro prazer em suas atividades profissionais.

Não apenas a plena dedicação ao trabalho, mas também a aversão aos gastos frívolos são pontos em comum entre a grande maioria dos bilionários. O bilionário brasileiro Marcel Telles, sócio do homem mais rico do Brasil e um dos donos do Burger King, Heinz Ketchup, cerveja Brahma, Budweiser e muitas outras marcas, é conhecido pela seguinte máxima: "custos são como unhas, temos de cortar sempre e, se não cortarmos, não vão parar de crescer". Os bilionários respeitam cada dólar que têm nas suas contas e carteiras. O dinheiro pode até ter sido o Deus elegido por muitos bilionários, mas eles não mostram sua adoração pagando muito caro por qualquer produto ou serviço simplesmente por terem os fundos disponíveis. Bilionário mostra sua adoração acumulando, não gastando. Em contrapartida, há muita gente que está longe dos bilhões, mas gosta de ostentar e parece até ter certo prazer em mostrar aquilo que logrou adquirir, mesmo que para manter o item, símbolo da ostentação, precise deixar um saldo bancário beirando o negativo. Essa irresponsabilidade com o dinheiro não é um traço comum entre os bilionários.

O segundo americano mais rico, Warren Buffett, é notório por seu estilo de vida simples, apesar de sua fortuna pessoal ter chegado a mais de 65 bilhões de dólares em 2014. Ao analisar o estilo de vida do ricaço, cairá por terra o estereótipo de que bilionário passa o dia bebericando champanhe e degustando caviar em sua mansão cinematográfica com pias de ouro nos banheiros e corredores

Bilionários trabalhadores

A *Forbes* perguntou a 50 bilionários quantas horas eles trabalham por semana. Os resultados surpreendem?

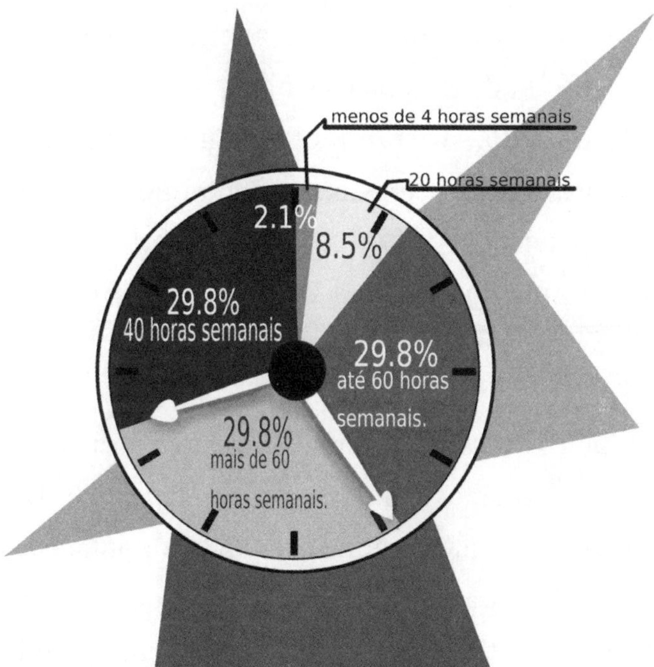

Fonte: Instagram da *Forbes*: <http://instagram.com/p/rXSQ5Syaki/?modal=true>.

cobertos por mármore. Lembre-se: a absoluta maioria dos bilionários passa a maior parte dos seus dias trabalhando!

Filho de um operador do mercado financeiro de Nebraska, Warren Buffett é fiel a suas raízes e ainda mora na mesma casa que comprou em 1958 por 31.500 dólares, dirige o próprio carro – que não é nenhum Rolls Royce – e costuma comer em restaurantes baratos de Omaha, como o Gorat's, onde o seu prato favorito é o filé acompanhado de batatas fritas e Coca-Cola de cereja. Detalhe: a refeição completa sai por menos de 40 dólares e eu não ficaria surpreso se ele tivesse (e usasse) algum desconto especial por ter ajudado o restaurante a ficar famoso.

Chama atenção também a maneira frívola com que Warren Buffett educa seus três filhos – Susie, Howard e Peter. Desde cedo, Warren incentivou sua prole a focar em descobrir suas paixões e mudar o mundo, ao invés de nutrir desejo por grifes e carros esportivos. Buffett revelou em uma entrevista a Kerry Dolan, minha chefe na *Forbes*,

"Meus filhos tiveram uma criação bastante normal. Quero dizer: nós só moramos em uma casa principal que tive durante a vida toda e que comprei em 1958. Portanto, eles não nos viam mudar para casas cada vez mais luxuosas e não voavam em aviões particulares. Iam de ônibus à escola. Todos os membros da família Buffett em Omaha cursaram o ensino público. Eles frequentaram a mesma escola que a mãe deles tinha frequentado, inclusive no ensino médio."

O filho mais novo de Warren Buffett, Peter, diz que não sabia que seu pai era um multibilionário – só veio descobrir graças a repercussão da primeira lista de bilionários da *Forbes* em 1987. "Foi nessa época que descobrimos quanto dinheiro nossa família tinha. Não estou brincando. Foi quando eu tinha 20 e poucos anos que minha mãe e eu conversamos em algum momento, porque lá estava ele nessa lista da *Forbes*. E nós rimos daquilo porque achamos engraçado, uma surpresa mesmo. Contudo, todo mundo passou a nos tratar de modo diferente", recorda Peter. "Foi uma mudança fascinante, embora não muito grande, porque não vivíamos naquele mundo ou num contexto cultural onde se exibisse muita riqueza. Nossos amigos ficaram tão surpresos quanto eu", conta o filho de Buffett. Nessa época, completa Warren, seus filhos já estavam crescidos e sabiam quem eram seus verdadeiros amigos. "E os amigos eram amigos porque gostavam deles, e não por serem os riquinhos do bairro ou coisa do gênero", conta Buffett. Resultado de criar o filho sem infinitos privilégios: Peter tornou-se músico e autor do livro *A Vida é o que Você Faz Dela*, que ficou em primeiro lugar na lista dos mais vendidos do *New York Times* e já vendeu mais de 1 milhão de cópias em mais de 15 idiomas. No livro, o filho do bilionário diz que a única herança real transmitida pelos pais foi a seguinte filosofia: construir o seu próprio caminho na vida. É um credo que lhe permitiu seguir as próprias paixões, estabelecer a própria identidade e colher os próprios sucessos. A sociedade de hoje, observa Peter Buffett, começou a substituir uma ética de trabalho por uma ética de riqueza, antepondo a recompensa ao processo. Confundimos privilégio com acumulação material, caráter com validação exterior.

Claramente, Warren Buffet gasta a maior parte do seu tempo trabalhando e não mostra nenhum interesse em ostentar sua fortuna. Na biografia (que deveria ser obrigatória) de Buffett, *A Bola de Neve: Warren Buffett e o Negócio da Vida*, revela-se de maneira quase surreal como o bilionário sempre deu valor a cada centavo; Kay Graham, sua melhor amiga, lhe pediu 10 centavos emprestados para dar um telefonema. Buffet deu a ela uma moeda de 25 centavos e depois correu para pegar o troco. Mesmo que Buffett tenha pavor em gastar dinheiro, no capítulo 6 você vai descobrir onde ele gasta a maior parte da sua fortuna.

Buffett não é o único bilionário com aversão a despesas. Os irmãos alemães Karl e Theo Albrecht fundaram a loja de varejo Aldi e se tornaram bilionários vendendo artigos mais baratos do que os concorrentes. Criados por uma lojista e um pai que trabalhava em minas de carvão, eles continuam fiéis à visão de frugalidade e valorizam cada centavo, tanto nos negócios como na vida pessoal. Theo foi sequestrado por 17 dias em 1971. Ao ser liberado, ele tentou reivindicar os milhões gastos no resgate como uma despesa de negócios, para pagar menos impostos. O bilionário brasileiro Abílio Diniz também foi sequestrado no final da década de 1980. Em 2013, foi amplamente divulgado na imprensa brasileira que os gastos mensais com segurança de Diniz e sua família eram de cerca de 30 milhões de reais. De acordo com a imprensa brasileira, mesmo que Abílio tivesse uma fortuna pessoal superior a 3 bilhões de dólares, quem pagava essa conta era o Grupo Pão de Açúcar.

Há 1.645 bilionários na lista da *Forbes* de 2014 e não são todos que mantêm um estilo de vida espartano. Obviamente, alguns bilionários adquiriram artigos de luxo excessivos e uma minoria dedica-se mais em gastar suas fortunas do que em trabalhar. Seguem alguns exemplos:

O inglês Richard Brandson, dono da Virgin Group, comprou a ilha Necker Island, situada próximo ao Havaí, quando tinha 28 anos.

O russo Roman Abramovich, que ficou famoso por ser o dono do clube de futebol inglês Chelsea – no qual já gastou mais de 2 bilhões de dólares com contratações de jogadores e salários –, pagou centenas de milhões de dólares para comprar o iate mais caro do mundo, chamado *The Eclipse*, que inclui minissubmarino, heliporto, vidros blindados, e até mísseis antiaéreos.

Aliás, mais de 50 bilionários são donos de times de futebol profissional e pouquíssimos têm um fluxo de caixa positivo com seus clubes de futebol.

Truet Catthy ficou bilionário graças a uma rede de *fast-food* de frango e pagou 250 mil dólares para comprar o batmóvel usado no filme *Batman Returns* de 1992.

Steve Cohen, conhecido banqueiro bilionário de Wall Street, pagou 137,5 milhões de dólares no quadro *Woman III* do artista Willem de Kooning.

O mais célebre bilionário gastão é Stewart Rahr, que se refere a si mesmo na terceira pessoa como "Steve Rah Rah" e também "The Number One King of All Fun" – em tradução livre, "O Rei Número Um de Toda a Diversão". Ele diz que trabalhou 42 anos no negócio de distribuição de produtos farmacêuticos herdado do pai e transformou a pequena empresa familiar em um gigante do setor. Quando Steve já tinha mais de 60 anos, vendeu a empresa, tornou-se bilionário, separou-se da esposa, e agora se dedica ao que considera diversão: muitas festas, viagens, restaurantes caríssimos, ou seja, um estilo de vida "alta sociedade". A maior parte da fortuna de Rah Rah está em ativos líquidos, como dinheiro em espécie. O "Rei Número Um de Toda a Diversão" convida "amigos" para viagens ao redor do planeta e constantemente posta fotos com celebridades, como Leonardo Di Caprio, Alicia Keys, Andrea Bocelli e Paris Hilton. Rah Rah usa uma capa de celular com a frase "I Love Ibiza", ilha na Espanha conhecida como a capital mundial de música eletrônica. A vida de Steve Rah Rah me faz lembrar do protagonista de *O Grande Gatsby*, clássico livro de Fitzgerald escrito em 1925.

Tanto a exacerbada simplicidade de Warren Buffett, que nem coloca os filhos em colégios privados, quanto o anseio de Rah Rah em "curtir a vida" e passar tanto tempo com pessoas que muito provavelmente não desfrutariam de sua companhia se ele não fosse rico, são dois extremos e duas exceções. O fato é que a maioria absoluta dos 1.645 bilionários segue trabalhando diariamente, mesmo tendo uma fortuna pessoal superior a 1 bilhão de dólares.

Uma explicação científica para o fato de que bilionários seguem trabalhando vem do matemático Gary Becker, criador da "Teoria de Alocação do Tempo", que trata basicamente do paradoxo entre trabalhar mais para ganhar mais dinheiro, porém ter menos tempo para descansar e gastar esse dinheiro. Segundo este ganhador do prêmio Nobel de Economia, "o tempo de trabalho é um produto de mercado, e sugere que quanto mais dinheiro você ganha, maior a probabilidade de você trabalhar mais. Se você não está envolvido em atividades de trabalho, então há um custo para a alternativa de se passar o tempo. Mesmo que você entenda as consequências negativas de ser viciado em trabalho, você tem a tendência de continuar, pois o custo de 'não fazer nada' é muito alto". Hoje em dia, com a opção de trabalhar de qualquer lugar e a qualquer hora, nunca foi tão fácil trabalhar tanto. Vale observar que é extremamente improvável tornar-se um bilionário sem abrir mão de outras áreas da própria vida. Em resumo, deve haver algum tipo de desequilíbrio de alocação de tempo. Chamar de desequilíbrio talvez não seja o mais correto, pois, muitas vezes, a pessoa sente-se em equilíbrio apenas com uma vida desequilibrada. "Quando você coloca um objetivo na sua vida, pode suportar qualquer coisa", disse o bilionário brasileiro e fundador da Amil, Edson Bueno, que personifica como ninguém o primeiro mandamento, de que "para ser bilionário tem de gostar mais de ganhar do que de gastar".

A bola é minha

Real Madrid C.F.
Florentino Perez ($2 bilhões)
66 anos, espanhol

Monaco Football Club
Dmitry Rybolovlev ($8,8 bilhões)
47 anos, russo

A.C. Milan
Silvio Berlusconi ($9 bilhões)
77 anos, italiano

FC Shakhtar Donetsk,
Rinat Akhmetov ($12,5 bilhões)
47 anos, ucraniano

Mais de 50 bilionários são donos de times de futebol profissional.

Fortuna de acordo com a lista de bilionários da *Forbes* em 2014.

Perfil: Edson Bueno

Trabalhar é Bueno

Edson Bueno personifica nosso primeiro mandamento. O que você faria se colocasse no bolso 1 bilhão de dólares? Viveria de sombra e brisa em alguma praia paradisíaca? No fim de 2012, ele embolsou muito mais do que 1 bilhão de dólares com a venda da Amil, maior operadora de planos de saúde do Brasil, e ainda manteve a participação e o cargo de presidente na empresa que ele fundou. O bilionário de 70 anos ainda tem outros ativos, como participação na Dasa, uma das maiores redes de laboratórios do Brasil, e é dono de diversos hospitais. Em 2014, a *Forbes* estimou sua fortuna pessoal em 2,8 bilhões de dólares. Mesmo se Edson torrar 100 mil dólares por dia, ainda vai levar mais de 76 anos para gastar sua fortuna pessoal.

Apesar de ser um dos homens mais ricos do mundo, Edson me contou que continua "sendo a pessoa que mais trabalha na empresa" e que sempre foi *workaholic*. Em entrevista a Silvana Case, vice-presidente executiva da Catho, Bueno já havia afirmado: "quando estava começando a Amil, eu trabalhava 72 horas por semana em média. Tive perda total de três carros por causa de acidentes, pois, ao retornar para casa, dormia ao volante de tanto cansaço".

Entrevistei Edson de Godoy Bueno em um sábado, durante uma conferência sediada pelo LIDE, empresa fundada por João Doria Jr. que organiza eventos para conectar empresários do mais alto calibre, empreendedores e líderes de multinacionais. Naquele sábado, Edson disse no seu discurso de abertura: "Quase não vim ao evento. Saí muito tarde da reunião de diretoria e achei que fôssemos nos reunir no sábado também. Que bom que não perdi a chance de vir aqui conhecer tanta gente que realizou tanto, espero aprender muito com vocês".

É inspirador ver alguém que conquistou tanto, mas mesmo assim mostra não se sentir superior aos outros mortais. Eu, provavelmente, não acreditaria com tanta convicção se o bilionário apenas me contasse que sua filosofia para o sucesso inclui: acreditar que oportunidades são onipresentes, que ele pode e deve aprender o tempo todo com todos e que se esforça para sempre manter os olhos e ouvidos abertos. Mas ele provou com seu comportamento: era sábado e Edson estava atrás de conhecimento e negócios. Durante todas as palestras, fez muitas anotações em uma caderneta de mão, manteve os olhos brilhantes como os de uma criança, e, ao final de cada palestra, levantou a mão para questionar os palestrantes diversas vezes. Por exemplo, Edson contou que ficou impressionadíssimo com a palestra sobre novas tecnologias de Gustavo Caetano, jovem mineiro fundador da Sambatech, e escolhido pelo Massachusetts Institute of Technology (MIT) – uma das universidades mais prestigiadas e poderosas do mundo – como um dos inovadores mais importantes do Brasil com menos de 35 anos. Caetano impressionou ao público ao explicar como o Facebook, fundado em 2004, tornou-se uma empresa com maior valor de mercado do que a Ford, fundada em 1903. Caetano me confidenciou que Edson o abordou e perguntou quando eles fariam algum empreendimento juntos, lhe deu seu cartão de visitas e pediu ao jovem mineiro para entrar em contato com alguma ideia.

Edson de Godoy Bueno quebra paradigmas sobre bilionários

- Não é necessário nascer em uma família rica para se tornar bilionário!
  A mãe de Edson, Leontina, era dona de casa e semianalfabeta e seu padrasto era motorista de caminhão. Nascido e criado em Guarantã, no interior de São Paulo, Edson chegou a trabalhar como engraxate para ajudar nas contas de casa. Ainda hoje, o bilionário guarda a caixa de engraxate e até chega a mostrá-la em um de seus vídeos institucionais para motivar seus colaboradores.

- Não é necessário tirar boas notas na escola para se tornar bilionário!
  Edson repetiu a 4ª série do primário por quatro vezes (hoje considerada 5º ano do ensino fundamental). De fato, em 2014, entre

os 400 indivíduos mais ricos dos Estados Unidos, mais de 15% deles nem terminaram a faculdade. Apesar do começo problemático, Edson não faz parte do grupo de bilionários sem diploma universitário. No começo da adolescência, Edson sofreu um acidente e desmaiou. Acordou na bela casa do médico da cidade, Dr. Moacir, e ali, aos 14 anos, resolveu que queria se tornar médico. Mudou-se para a capital carioca para prestar vestibular na faculdade onde Dr. Moacir havia estudado, a conceituada Universidade Federal do Rio de Janeiro (UFRJ). Formou-se médico aos 28 anos pela UFRJ.

- Não é impossível tornar-se bilionário partindo do zero!
  Afundado em dívidas, o ponto de partida de Edson foi um número ainda menor do que zero. Nas suas próprias palavras, "Comprei minha primeira clínica como pobre compra as coisas, fazendo dívida". Dos 1.645 bilionários vivos, cerca de 66% construíram sua própria fortuna, 21% aumentaram uma fortuna considerável que receberam, e apenas 13% herdaram seus bilhões.

Como alguém que repetiu a 4ª série quatro vezes torna-se médico? Como um jovem recém-formado e imerso em dívidas torna-se bilionário? A fórmula de sucesso do

Edson é baseada em clara visão de longo prazo com metas bem esclarecidas e mensuráveis, criatividade para se diferenciar, incessante busca pelo conhecimento, investimento pesado na formação de um time e muito, mas muito trabalho.

Antes mesmo de se formar na UFRJ, Edson começou a trabalhar na Casa de Saúde São José, que estava praticamente falida e com dificuldades para pagar os encargos de seus funcionários. Após o sexto mês sem receber seu salário, Edson achou uma maneira de se tornar sócio. Faltavam três meses para ele receber o diploma da universidade e ele estava assumindo a maior dívida de sua vida.

Edson revolucionou o quase falido hospital, e este primeiro empreendimento foi o embrião do Grupo Amil, que viria a ser a maior operadora de planos de saúde do Brasil. Em uma entrevista em 2008, Edson revelou como transformou a frágil clínica na maior maternidade em número de partos do estado do Rio de Janeiro:

> "Em casa nunca teve refrigerante. Quando eu conseguia uma Coca-Cola, fazia um furinho na tampinha, chacoalhava e ia tomando devagar. No começo era só espuma. Aquilo podia durar uma semana. Por isso, quando abrimos a primeira maternidade, eu coloquei lá uma máquina de Coca-Cola e dava uma para quem vinha fazer exame pré-natal. Tinha fila para fazer o exame, só por causa da Coca-Cola".

Edson também teve a ideia de deixar uma Kombi no pé do morro de uma favela, no Rio de Janeiro, para levar os pacientes à clínica São José. Fornecer transporte grátis aos pacientes da classe social mais baixa foi uma jogada de mestre para garantir a clientela. Essa criatividade em oferecer pequenos serviços que o diferenciavam dos concorrentes já fazia parte do *modus operandi* do jovem. Por exemplo, quando estava trabalhando como engraxate, ao invés de ficar em praça pública disputando clientes com outros engraxates, teve a brilhante ideia de fazer uma espécie de "engraxate delivery". Na cidadezinha onde morava, Edson batia na porta das pessoas de melhores condições financeiras com sua caixa de engraxate na mão e um grande sorriso no rosto.

Acreditar e sempre investir no próprio negócio foi uma marca pessoal de Edson ao longo de sua escalada rumo ao patamar dos mais ricos do mundo. O dinheiro que ganhou na Casa São José foi usado para comprar a Somicol (que depois virou o Hospital de Clínicas Mário Lioni), que gerou caixa para a compra da Clínica Santa Rita, que gerou caixa para a aquisição da Clínica São Sebastião. Assim começou a Empresa de Serviços Hospitalares (ESHO), e o jovem médico logo decidiu mudar o jaleco branco pelo terno de executivo.

Apesar de sempre trabalhar muito, Edson sempre se dedicou em estar bem informado sobre o que acontecia no setor. Essa busca ávida por informação gerou diversos benefícios a ele. Lendo o jornal em uma tarde de domingo, Edson se familiarizou com a história do fundador da Golden Cross, Dr. Milton Afonso. No dia seguinte, inspirado pela matéria, convocou reunião com seu pessoal para anunciar: vamos entrar no mercado de assistência médica para valer! Assim nasceu, em 1978, a Amil, no Rio de Janeiro. Ele já controlava cerca de 70% do mercado de serviços de saúde de Duque de Caxias, uma das maiores cidades cariocas, mas sua ambição não tinha limites. Esta passagem me faz lembrar do conselho do bilionário investidor americano Howard Marks, no livro *The Most Important Thing*, no qual ele sugere que devemos focar nossas atenções e energias em setores específicos, ao invés de querer sermos ases da macroeconomia. Tente pensar em Edson Bueno e em Marks ao abrir o jornal.

Este episódio, do predestinado que mesmo nas horas livres mantém os olhos abertos em busca de oportunidades, deixa-me pensativo a respeito do que o bilionário vai armar com o jovem palestrante Gustavo Caetano, que ele conheceu na tarde em que conversamos durante o evento do Lide. Também me faz lembrar de um popular ditado romano: "a oportunidade é uma deusa careca, salva por um topete no topo da testa". Imagino que o penteado da deusa oportunidade seja parecido com o de Ronaldo Fenômeno na final da Copa do Mundo de 2002. A deusa oportunidade passa na sua frente e às vezes você está de olhos fechados. Mas mesmo quando a vê, só há uma chance de agarrá-la. Se deixar o topete escapar das suas mãos, depois será impossível fisgar a deusa oportunidade. Edson mostra este apetite por agarrar a deusa oportunidade pelo topete.

Para ilustrar o crescimento exponencial da Amil, citamos a iniciativa de Edson Bueno em 2001; para celebrar as três décadas da empresa, ele criou o *slogan* "30 anos em 5" inspirado nos "50 anos em 5" de Juscelino Kubitschek. Objetivo: dobrar o tamanho da empresa em 5 anos. A meta foi atingida 1 ano antes! Mas, como você pode imaginar, Edson não tirou o pé do acelerador e seguiu com objetivos agressivos e metas claras para todos. Em 2006, Edson não só introduziu o programa "35 anos em 5" para dobrar o faturamento novamente, como também apelidou 2006 como o ano em que "a Amil conquistaria o Monte Everest" e convidou o primeiro brasileiro a escalar o pico mais alto do mundo, Waldemar Niclevicz, para fazer a palestra motivacional para os colaboradores. Em 2007, surgiu a oportunidade de fazer o *Initial Public Offering* (IPO – abertura do capital da empresa na bolsa de valores) da Amil, e a empresa cresceu ainda mais com a entrada na bolsa – e Edson ficou ainda mais rico. Em 2006, a receita operacional da empresa era de 2,3 bilhões de reais. Em 2009, a Amil registrou 4,8 bilhões de reais. Ou seja, em apenas três anos – dois anos antes da agressiva meta –, a empresa mais do que dobrou seu faturamento. Em um vídeo institucional após a venda da Amil, um colaborador da empresa revelou que Edson aparece dizendo: "Não vendi a Amil por causa do dinheiro. Já faz 30 anos que ganho mais do que consigo gastar".

Apesar do crescimento do negócio que ele fundou e de seu espetacular enriquecimento pessoal, Edson repete várias vezes que não teria chegado onde chegou se não focasse em montar uma grande equipe. Ele diz que o diferencial para alcançar o topo é e sempre será "selecionar pessoas com potencial e treiná-las exaustivamente em busca de um sonho". Ele leva isso tão a sério que por muito tempo seu título no cartão de negócios não era presidente, e sim gerente de treinamento!

Edson acredita e investe no poder da educação: "Eu também incentivo todos os meus funcionários a estudarem muito; é um dos caminhos para fazer a diferença. Não importa se os outros não estão fazendo, temos de fazer a nossa parte". Os gregos costumavam dizer que, se correr atrás da deusa da fortuna, ela fugirá; porém, se cortejar a deusa da sabedoria com afinco e dedicação, ela se doará para você pouco a pouco. Então, a deusa da fortuna, ao ver que está conquistando a deusa da sabedoria, repentinamente aparecerá na sua vida e você terá grandes chances de conquistá-la. No clássico livro *O Homem Mais Rico da Babilônia*, escrito na década de 1920 e que já vendeu mais de 2 milhões de cópias ao redor do mundo, George S. Clason[4] revela parábolas da Babilônia sobre como enriquecer. Na minha favorita, um

---

4 Clason fundou a Clason Map Company of Denver, Colorado, e publicou o primeiro atlas rodoviário dos Estados Unidos e do Canadá. Em 1926, lançou o primeiro de uma série de panfletos sobre economia e sucessos financeiros, usando parábolas ambientadas na antiga Babilônia para ilustrar suas lições. Tais panfletos eram distribuídos em grandes quantidades pelos bancos, companhias de seguros e empregadores, e se tornaram familiares a milhões de pessoas, sendo que o mais famoso é a parábola que dá o título ao *best-seller O Homem Mais Rico da Babilônia*. Estas "parábolas babilônicas" tornaram-se um clássico moderno entre os livros de autoajuda.

homem revela *The Five Laws of Gold* (do inglês, as cinco leis do ouro) e a primeira é:

"Ouro vem de boa vontade e em quantidade crescente para qualquer homem que invista não menos de 10% do seu rendimento para criar potencial para seu futuro e o de sua família".

Não perguntei ao Edson se ele conhecia esse ditado ou o livro de Clason, mas ele age como se acreditasse cegamente na importância da educação para enriquecer. Aliando o desejo de estar entre os melhores com o de aprender, Edson foi estudar em Harvard. Ele fez o *Owner President Management Program* (OPM), destinado a presidentes de empresas. De lá, Edson afirmou ter saído "com o firme propósito de ter a Amil nos Estados Unidos". O predestinado empreendedor disse: "Quando eu resolvo fazer alguma coisa, levanto, como e durmo pensando nisso". Você tem alguma dúvida de que ele alcançaria esse objetivo de maneira louvável?

A Amil já era a maior operadora de planos de saúde do Brasil quando Edson decidiu que iria entrar no mercado norte-americano. Após conhecer a brilhante trajetória do bilionário brasileiro, eu apostaria que Edson encontraria um jeito de entrar pela porta da frente. A Americanos da United Health Care Group (UHG), maior empresa de saúde do mundo, estava querendo entrar no Brasil e almejava comprar parte da Amil. Palestrando no evento do Lide, Edson revelou:

"Quando começamos a negociar, a United [Health Care Group] só queria comprar 20% da Amil, mas eu percebi que a empresa norte-americana não seria realmente dedicada a este projeto brasileiro, a menos que eles possuíssem uma participação maior. Eu decidi que iria vender 90% da Amil. Como estratégia de negociação, alguns bancos me disseram para mentir e dizer que eu tinha duas outras ofertas. Decidi não mentir, mas consegui vender o sonho para a United!"

No fim das longas negociações, Edson dispensou intermediários, como é o costume em transações desse porte, e negociou diretamente com o manda-chuva da UHG. No fim das contas, a UHG comprou 30% da Amil de acionistas públicos e 60% de Edson Bueno e sua ex-mulher Dulce. Como parte do acordo, identificado pela imprensa internacional como "projeto samba", Edson reteve uma participação no capital da Amil, permaneceu como CEO da empresa que ele fundou, e ainda comprou 0,8% da UHG, tornando-se não só o primeiro estrangeiro a sentar no *board* (mesa de diretores) da maior empresa de saúde do mundo como também o maior acionista individual da gigante. Sobre a United, Edson disse:

"Quando comecei a estudar as companhias de seguros de saúde em todo o mundo, a empresa mais admirada nos EUA era, de longe, a United Health, que foi iniciada em 1977, apenas um ano antes de eu começar a Amil. Hoje, a United serve mais de 70 milhões de americanos e tem mais de 130 bilhões de dólares em receitas. Somente o setor de tecnologia da UHG emprega 14 mil pessoas e seria avaliado em cerca de 25 bilhões de dólares".

O que esperar de Edson Bueno no futuro? Eu apostaria que o bilionário vai seguir trabalhando duro e continuar empreendendo e arriscando. Afinal, é isso que o mantém feliz: "Depois de certo momento, aquele em que a pessoa tem mais dinheiro do que pode gastar, não faz mais diferença. O que me interessa é meu trabalho, não vou parar...".

2

Bilionário é empregador e não empregado

"O conselho que eu daria a um jovem? Deixe de ser um empregado. Não trabalhe para ninguém. Você não pode ganhar dinheiro trabalhando para outra pessoa".

O autor desta frase é o bilionário Phil Ruffin, americano que reivindica a fama por ser o homem que introduziu o conceito de *self-service* nos postos de gasolina, prática (ainda) não usual no Brasil que faz com que os próprios motoristas abasteçam seus veículos. Com o dinheiro ganho nas suas lojas de conveniência, Ruffin construiu seu primeiro hotel. Hoje, o magnata bilionário é dono de diversos hotéis e casinos em Las Vegas.

Dentre os 1.645 bilionários, 66% começaram o próprio negócio; 13% são herdeiros de empreendedores que se tornaram bilionários, o que chamamos de "espermas sortudos" ou casaram-se com a pessoa "certa"; e o restante (21%) herdou um negócio e o fez crescer.

Espermas sortudos

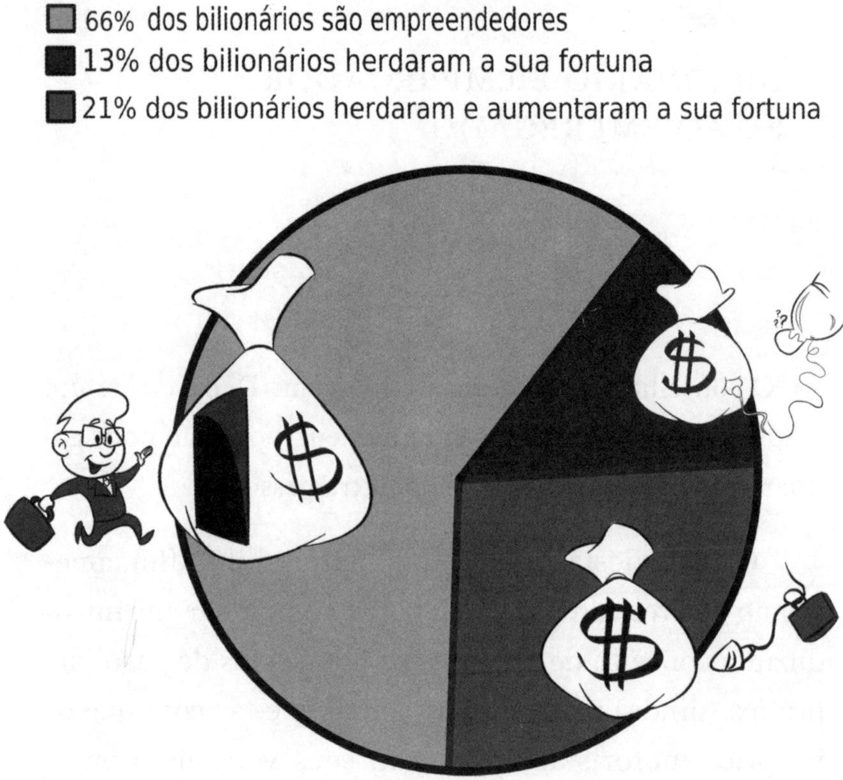

Bilionário não trabalha por salário, mas sim por participação nos lucros da(s) empresa(s). O homem que mais enriqueceu entre a lista de bilionários da *Forbes* de 2013 e a publicação do ano seguinte foi o fundador do Facebook, Mark Zuckerberg. Apenas nesse período, a fortuna pessoal de Zuckerberg aumentou em mais de 15 bilhões de dólares. Na média, ele ganhou mais de 4 milhões de dólares por dia durante 1 ano. Tente adivinhar qual era o salário de Zuckerberg nesse período. O salário do jovem que abandonou os estudos na prestigiosa Harvard para começar o Facebook foi simbólico: 1 dólar por ano. Segue uma breve lista de bilionários com salário de 1 dólar por ano: Sergey Brin e Larry Page, fundadores de outro site presente no seu cotidiano, o Google; Michael Bloomberg, multibilionário eleito três vezes prefeito de Nova York; Richard Hayne, ex-hippie e fundador da marca de roupas Urban Outfitters; John Mackey, fundador da gigante de varejo Whole Foods (uma espécie de sofisticadíssimo Pão de Açúcar); Larry Elisson, fundador da gigante de informática Oracle; Richard Kinder, fundador de uma gigantesca empresa de energia; Meg Whitman, que comanda a multinacional Hewlett-Packard, produtora de computadores, impressoras, calculadoras financeiras e muito mais; Robert Duggan, adepto da cientologia e chefe da farmacêutica Pharmacyclics, que desenvolveu um potente tratamento contra leucemia.

Como resumiu o fenômeno das palestras motivacionais Jim Rohn "Os lucros são melhores do que os salários. Os salários lhe trarão sustento; os lucros lhe trarão fortuna". Nitidamente, o único caminho para os bilhões, se você não for um esperma sortudo ou casar com a pessoa "certa" é ser empreendedor. É simples: ou você empreende ou vai acabar trabalhando para alguém que seguiu o próprio sonho.

Mark Zuckerberg foi o bilionário que mais enriqueceu entre 2013 e 2014.
O fundador do Facebook viu sua fortuna aumentar 15,2 bilhões de dólares em um ano

Durante um ano, em média, sua fortuna cresceu:
$1,26 bilhões por mês
$292 milhões por semana
$42 milhões por dia
$1 milhão e 750 mil por hora
$29 mil por minuto
$483 por segundo

Demoramos cerca de 3 minutos para ler esta página. Nesse tempo, Zuckerberg teria acumulado mais de 86 mil dólares. Quanto tempo você passou no Facebook essa semana?

Bati um papo com Armínio Fraga, ex-presidente do Banco Central do Brasil, em uma conferência em Nova York quando ele me contou que é muito difícil empreender no Brasil, principalmente por causa de Brasília. O Banco Mundial classifica o Brasil como o país número 116 (de 189) mais difícil de começar uma nova empresa. No Brasil, demora-se 123 dias para começar um negócio (*versus* 2 dias no Canadá, 4 dias na Austrália, 6 dias na Armênia, 9 dias em Ruanda, 17 dias na China). E não é que o Brasil esteja melhorando rapidamente. Só ganhamos duas posições em 1 ano (o Brasil foi eleito o número 118 em 2013). Especialistas destacam mão de obra pouco qualificada e sistema tributário extremamente complexo e ineficaz como as principais causas para explicar como o maior país da América Latina ainda está atrás de economias consideravelmente menores, como Nepal, Kuwait e Costa Rica.

Os empreendedores que, apesar de tudo, conseguem ter sucesso no Brasil, recebem recompensas empolgantes. O Brasil apresenta uma das maiores taxas de crescimento no número de bilionários do mundo. Em 2011, havia 30 bilionários brasileiros. No ano seguinte, o número cresceu 20%, atingindo 36 bilionários. Em 2013, havia 45 bilionários brasileiros, crescimento de 25%. Em 2014 chegamos a 65, crescimento de mais de 44%, enquanto o crescimento no número de bilionários no mundo inteiro foi de 15%. O Brasil é o quinto país com o maior número de bilionários (atrás de Estados Unidos, China, Rússia e Alemanha), apesar de ter a sétima maior economia do mundo. Steve Forbes, o *chairman* e chefão-mor da *Forbes*, filho do fundador da lista de bilionários, Malcom Forbes, e neto do fundador da revista, Bertie Charles Forbes, é o mais voraz fã da livre iniciativa e da força do empreendedorismo que eu já conheci. A primeira vez que conversei pessoalmente com Steve Forbes foi no verão (em Nova York, portanto no inverno brasileiro) de 2012 e ele me disse que qualquer país só prospera quando seus empreendedores enriquecem e que o Brasil precisava manter o tripé da economia estável (câmbio flutuante e respeito absoluto pelas metas fiscais e de inflação). Sua lógica era que os empreendedores brasileiros atuais e futuros se beneficiariam se tivessem mais facilidade em se planejar para o que vem pela frente. Steve Forbes contou a Peter Diamandis, seu amigo e fundador da Singular University, faculdade localizada no *campus* de Pesquisa e Desenvolvimento da NASA:

"Eu acho que as características entre os empreendedores de todo o mundo são praticamente as mesmas. [O empreendedor] tem a visão, o apetite, o desejo e a [propensão de] esquece[r] do relógio, trabalhando até terminar sua tarefa. Isso não muda. O que mudou é que, graças à queda do Muro de Berlim, graças ao sucesso dos EUA em sair do mal-estar da década de 1980, de repente, o que você poderia chamar de classe empreendedora explodiu em todo o mundo – Índia, China, Europa central e do leste, e os países Bálticos. Quem imaginaria que o Skype seria desenvolvido na Estônia? Então, não são as características do empreendedorismo, mas sim a oportunidade de praticar o empreendedorismo que tem crescido exponencialmente".

Como fica claro tanto nas palavras de Steve Forbes, que concorreu à presidência dos EUA duas vezes, como em uma rápida olhada na lista de bilionários, empreendedores de sucesso estão no mundo todo. Não há desculpas para não empreender. Segue adiante uma lista de sete empreendedores improváveis. A história de vida desses bilionários mostra que não há desculpas para não arregaçar as mangas e começar seu próprio negócio. Examinando o ponto de partida desses improváveis bilionários descritos a seguir, poucos apostariam que estas pessoas teriam capacidade de montar negócios tão lucrativos e tornarem-se bilionárias: um nem terminou o ensino médio (nos Estados Unidos, *high school*), tamanha era sua dificuldade em se concentrar, mas transformou isso em uma vantagem e abriu diversas empresas. A outra foi estuprada e teve um filho aos 14 anos, mas mesmo assim foi atrás de seu sonho. Outro começou como estudante de medicina, buscou seguir o sonho de fotógrafo, mas com um empurrãozinho da irmã, que trabalhava como modelo, achou sua estrada para os bilhões. Outro bilionário estava em um emprego estável e não tinha capital disponível para montar uma empresa, mas arriscou. Teve aquele que sobreviveu à grande crise de 1929 e lutou na Segunda Guerra Mundial antes de acumular bilhões de dólares. Outro, recém-casado, pegou dinheiro emprestado do sogro para começar um negócio do qual não sabia absolutamente nada. Finalmente, Bruce Halle entrou em um negócio minúsculo sem nenhuma visão a longo prazo; ele queria apenas sustentar a família e acabou tornando-se bilionário no mesmo segmento.

Top 7 empreendedores improváveis

Richard Branson

Filho de um garçom de bar e de uma aeromoça, o inglês Richard Branson foi diagnosticado com dislexia quando adolescente. Sua dificuldade acima do normal para compreender matemática e textos complexos o fez abandonar os estudos ainda no ensino médio (*high school*). Mesmo assim, lançou seu primeiro empreendimento aos 16 anos: a revista *Student*, feita por estudantes para estudantes. Apaixonado por jornalismo, Branson fundou uma gravadora para levantar dinheiro para manter esta e fundar outras revistas. Richard começou a ganhar muito mais dinheiro com a sua gravadora do que com qualquer revista. Ele se tornou milionário aos 23 anos, e sua Virgin Records cuidou da carreira dos Rolling Stones e Sex Pistols, entre outros. Com 28 anos, já era o dono de uma ilha. Hoje, Branson tem mais de 200 empresas em 50 países e já se aventurou nos ramos de aviação, bebidas alcoólicas, restaurantes, telecomunicações e muitos outros, incluindo até voos para outros planetas. O bilionário que nem terminou o ensino médio foi nomeado Sir., ao ser nomeado cavaleiro pela rainha da Inglaterra. Richard Branson já entrou para o *Guinness – livro de recordes* diversas vezes. Alguns exemplos de seus recordes: o bilionário foi a pessoa mais velha a cruzar o Canal da Mancha por *kiteboard*; esteve no primeiro balão de ar quente a atravessar o Atlântico; foi o mais rico apresentador de um *reality show* na televisão; é a pessoa com mais seguidores na rede social-profissional LinkedIn.

"Meu interesse na vida vem de traçar enormes aparentemente inatingíveis desafios e tentar superá-los".

RICHARD BRANSON

Oprah Winfrey

Filha de uma solteira adolescente, Oprah cresceu no campo, sendo criada pela avó. Quando sua mãe achou emprego como empregada doméstica, Oprah tinha 6 anos e foi viver com ela. Oprah diz ter sido estuprada quando tinha 9 anos e teve um filho aos 14 anos, que morreu pouco tempo depois do parto. Ela também já admitiu ter levado uma vida "promíscua" na adolescência. Ela estudou apenas dois anos na Tennessee State University e abandonou a faculdade em 1976 para correr atrás da carreira na TV. Apesar de ter completado 60 anos em janeiro de 2014, Oprah continua a todo vapor: participa de filmes, é âncora de seu próprio programa de TV e cuida do seu próprio canal de TV e de sua empresa de produção. Oprah ficou famosa mundialmente por causa de suas aparições em programas televisivos, mas a sua fortuna vem de seus investimentos empreendedores. Oprah é a mulher negra mais rica dos Estados Unidos e doou mais de 100 milhões dólares à Winfrey Academia de Liderança para Mulheres, instituição de fins não lucrativos que ela mantém na África do Sul.

"Vou apenas criar, e se funcionar, ótimo! Se não funcionar, vou criar algo diferente. Eu não tenho quaisquer limitações sobre o que eu acho que poderia fazer ou ser".

Oprah Winfrey

Howard Schultz – Starbucks

Um emprego estável e falta de dinheiro para investir em uma ideia não impediram Schultz de encontrar uma maneira de ser dono do seu próprio negócio. A Starbucks foi fundada por um professor de história, um professor de literatura e um escritor. O nome Starbucks foi inspirado em um personagem do clássico literário *Moby Dick* de Melville. No início, a Starbucks apenas importava refinados grãos de café para os habitantes de Seattle. Howard Schultz trabalhava em uma multinacional que fornecia máquinas de café para o Starbucks e largou o trabalho convencional para se tornar empregado na pequenina Starbucks. Howard desejava transformar a então importadora de grãos na loja de café que vemos hoje ao redor do mundo. Os originais donos do Starbucks não aceitaram a ideia de Howard, que mais tarde ficaria conhecido como "Bill Gates do café". Então, Schultz demitiu-se da Starbucks e fundou o café Il Gionarle, com o conceito hoje famoso de providenciar para as pessoas um "terceiro espaço", além de suas casas e de seus trabalhos. Deu certo! Howard queria comprar a marca dos donos do Starbucks para expandir sua pequenina loja de café, mas não tinha dinheiro. O que ele fez? Nas suas próprias palavras, reveladas no livro biográfico *Dedique-se de Coração*:

"Falei com 242 pessoas e 217 disseram que não... No final, levantei 1,65 milhões de dólares de 30 investidores. Quem mais investiu, colocou 750 mil dólares. Todos estes investidores iniciais acabaram tendo um retorno no investimento de 100 para um. Ou seja, para cada 100 mil dólares que eles investiram, agora eles têm ações no valor de cerca de 10 milhões de dólares."

Howard Schultz tornou-se bilionário graças à ideia de vender café por um preço caríssimo em um ambiente despojado. Hoje, a Starbucks já tem mais de 19 mil lojas ao redor do mundo. Ele revela que: "A Nike é a única empresa que fez algo parecido. Tênis eram baratos e práticos e em geral não muito bons... Nos anos 1970 um tênis custava 20 dólares. Quem imaginaria que alguém pagaria 140 dólares por um par de tênis?"

"Cresça com disciplina. Balance intuição com rigor. Não abrace o status quo. Encontre novas maneiras de ver. Nunca espere uma bala de prata. Suje as mãos. Conte a sua história, sem deixar que outros definam quem você é. Utilize experiências autênticas para inspirar. Faça as escolhas difíceis. Seja responsável pelo que você vê, ouve e faz. Acredite".

HOWARD SCHULTZ

GIORGIO ARMANI

A paixão pela moda não se manifestou cedo no jovem italiano que queria ser fotógrafo e, antes disso, médico. Giorgio Armani cursou dois anos de medicina na Universidade de Milão, mas ao trabalhar como paramédico para o exército italiano, percebeu que não havia nascido para aquilo. Abandonou a faculdade para virar fotógrafo, mas logo viu que não era bom o suficiente para viver apenas daquilo. Sua irmã, que era modelo, conseguiu um emprego para ele na La Rinascente, loja *fashion* em Milão, onde o jovem Giorgio descobriu sua paixão pela moda e aprendeu muito sobre o negócio. Para montar sua própria marca ele vendeu seu carro (um velho Volkswagen) e investiu cerca de 10 mil dólares para alugar um pequeno escritório em Milão e contratar uma jovem estudante de moda e uma secretária. O resto é história. Em 2014, a fortuna de Armani chegou a ser estimada em mais de 10 bilhões de dólares pela *Forbes* e seu império também inclui hotéis de luxo e restaurantes. Ele é dono de 10 mansões, incluindo cinco na Itália, e também de um iate avaliado em 50 milhões de dólares. Giorgio Armani foi o segundo estilista a ser capa da célebre revista *Time*, depois de Christian Dior.

> "A verdade é que eu fico muito contente que as pessoas possam comprar Armani – mesmo que sejam itens falsos. Eu gosto de ser tão popular em todo o mundo".
>
> GIORGIO ARMANI

ELI BROAD

Eli Broad é a única pessoa a ser fundadora de duas empresas que fazem parte das 500 maiores do mundo em dois diferentes setores. O filho de imigrantes judeus da Lituânia – pai pintor de casas e mãe cabeleireira – Broad deu conselhos diretos sobre como e quando começar seu próprio negócio em palestra aos formandos de artes e arquitetura da Universidade da Califórnia:

"Ninguém nunca ganhou 1 milhão de dólares sendo cauteloso, tímido ou razoável. Eu tinha 22 anos, estava recém-casado quando tive a ideia maluca de que deveria desistir da minha carreira em contabilidade e começar a construir casas. Eu não sabia nada sobre construção de casas. Às vezes, as ideias mais loucas são as que gerem os maiores retornos. Eu assumi o risco de construir casas sem porões, algo que não existia no Centro-Oeste [dos EUA], porque o pagamento mensal da hipoteca seria menor do que aquilo que as pessoas estavam pagando de aluguel".

Em 1957, Eli Broad pegou um empréstimo de 25 mil dólares de parentes da sua esposa para fundar o que se tornaria uma das maiores construtoras dos EUA. Em 1971, ele entrou no ramo de seguros com a empresa Sun Life. Tamanho foi o sucesso que Broad vendeu o empreendimento para o grupo AIG em 1998 por 18 bilhões de dólares em dinheiro e ações. Hoje, ele se dedica à filantropia e arte. Já doou mais de 3,5 bilhões de dólares e sua coleção pessoal de arte vale mais que 2 bilhões de dólares. Broad é autor de um *best-seller* no qual o capítulo 18 intitula-se: "É melhor ser respeitado do que amado".

Esse bilionário entende a importância de usar a literatura para subir no ombro de gigantes e não hesita em dizer que não é o autor da sua frase favorita: "O homem sensato adapta-se ao mundo. O homem insensato persiste em tentar adaptar o mundo a ele mesmo. Portanto, todo o progresso depende do homem insensato". O criador desta passagem é George Bernard Shaw, vencedor do prêmio Nobel de Literatura e cofundador de uma das faculdades mais renomadas do mundo, a London School of Economics.

"O que você descobre ao se perguntar "Por que não?" é que a vida é mais rica quando vivida entre os sonhadores".

Eli Broad

George Joseph

Filho de emigrantes libaneses, George Joseph nasceu em 11 de setembro de 1921 e sobreviveu a duras penas à Grande Depressão de 1929, crescendo no campo com a família que criava porcos e galinhas e mantinha uma plantação de legumes. Seu pai trabalhou em uma mina de carvão como lojista. Joseph participou da Segunda Guerra Mundial em mais de 50 missões na Tunísia, Itália e outros lugares. Ele sobreviveu e retornou aos Estados Unidos com 24 anos. Graduou-se em matemática e física em apenas três anos em vez de quatro na Harvard. (A propósito, Lemann, o homem mais rico do Brasil, também se graduou em seis semestres em vez de oito em Harvard). O sonho de Joseph era trabalhar com construção de mísseis guiados, mas, precisando de dinheiro, começou a vender seguros de porta em porta para pagar as contas. Sempre de olhos abertos, percebeu uma enorme oportunidade no mercado de seguros de carros. Então, ele lançou a Mercury, nome em homenagem ao deus romano do comércio. Seu diferencial foi oferecer seguros de carros com preços variáveis dependendo do histórico de cada cliente, em uma época que um motorista que tinha tomado 100 multas, muitas vezes pagava o mesmo que alguém que nunca havia sido flagrado cometendo uma infração no trânsito. A Mercury já pagou mais de 20 bilhões de dólares em ressarcimento de clientes. Apesar de ter mais de 90 anos, George Joseph ainda dá expediente todos os dias.

"Não faço nada por dinheiro, ainda uso os mesmos ternos há 25 anos e não tenho aviões particulares ou barcos. O verdadeiro prazer está em construir, não em ter".

George Joseph

Bruce Halle

Um mau estudante, Bruce Halle teve dificuldade para terminar o ensino médio e precisou de tempo extra para terminar a faculdade. Seus dois empreendimentos após a faculdade fracassaram, deixando-o com uma montanha de dívidas e uma família para alimentar. Destemido, Halle abriu sua primeira loja de pneus, chamada Discount Tire, muito próximo de um negociante Goodyear já estabelecido – apenas algumas centenas de metros separavam as duas lojas. Tudo o que ele tinha em estoque eram seis pneus e quatro deles eram de segunda mão. Demorou três dias para o primeiro cliente entrar na loja e mais quatro dias até Bruce vender o primeiro pneu. Bruce admite que não tinha um plano de negócio, apenas um desejo de ser capaz de sustentar sua esposa e seus três filhos. Com muito suor, Bruce Halle transformou a Discount Tire na maior rede de varejo independente de pneus do mundo, com mais de 850 localidades em 25 estados nos EUA. O comercial de dez segundos da empresa, "Thank You", criado em 1975, detém o recorde mundial do Guinness para o comercial de TV de maior tempo no ar. Bruce Halle dizia aos seus empregados: "Faça um bom trabalho e eu vou te providenciar oportunidades para toda a sua vida".

"As pessoas às vezes me perguntam: 'Nossa, como você construiu a empresa?' Bem, eu trabalhei nela por 50 anos... Você faz as coisas que ninguém faz quando começa o negócio. Você varre o chão. Você lava as janelas. Você limpa os banheiros. Você fala com todos os clientes. Você pode criar alguns programas de publicidade. Você paga o aluguel e tenta fazer o negócio funcionar e, pouco a pouco, todas as peças começam a se encaixar".

Bruce Halle

Bilionários improváveis

Quem imaginaria ficar bilionário vendendo café, chinelos, livros, pneus ou luta livre?

"Todos os seres humanos são empreendedores." – Muhammad Yunues

Fortuna de acordo com a lista de bilionários da *Forbes* em 2014.

As histórias desses empreendedores improváveis comprovam que você não pode usar seu passado ou sua origem, por mais humilde e sofrida que seja, como desculpa para não empreender.

Empreendedorismo não é para aqueles que tomam o que lhes é dado na vida e, cheios de autopiedade, aceitam um suposto destino. Empreendedorismo é para quem quer viver a vida segundo seus próprios termos e escrever as regras do seu próprio jogo. Todos estes empreendedores bilionários improváveis têm duas coisas em comum: apetite para risco e uma paixão por fazer e não apenas sonhar. O que te impede de empreender e tornar-se dono do próprio negócio? A falta de recursos financeiros não pode ser desculpa! Hoje, há muito capital disponível para pessoas com boas ideias, excelentes planos de execução e aquele excitante brilho nos olhos. Em uma conferência para bilionários sediada pela *Forbes* na sede da ONU em Nova York, edifício que o brasileiro Oscar Niemeyer projetou, o ganhador do prêmio Nobel, Muhammad Yunus, revelou como ele ajudou a transformar mendigos em empreendedores:

"[O banco] Grameen fez empréstimos de 5, 6 e 10 dólares à mendigos. Nós dizíamos a eles: Olha, como você vai de casa em casa pedindo por comida ou por algum dinheiro para sobreviver, por que não levar alguma mercadoria como bolachas, doces ou algum outro tipo de alimento, de modo que você tenha coisas para vender? Em dois anos, mais de 25 mil deixaram de ser mendigos para tornarem-se empreendedores de sucesso".

Quando Grameen Bank começou seu projeto de empréstimo a mendigos, Yunus esperava que mil mendigos fossem participar. Porém, mais de 100 mil pedintes aderiram de imediato. Quando você se pegar contando uma desculpa a si mesmo para justificar porque você não pode empreender, lembre-se de que até moradores de rua conseguiram melhorar suas condições de vida tornando-se empreendedores!

Ron Conway, mito que já investiu em mais de 600 empresas, incluindo Facebook, Google, Twitter, Pinterest, Dropbox, Airbnb e outras, diz: "É sempre um bom momento para começar uma empresa". O bilionário Reid Hoffman, capa da *Forbes* e conhecido como a pessoa com a melhor rede de contatos do Vale do Silício, a Meca do empreendedorismo do século XXI, diz: "Se você não estiver envergonhado da primeira versão do seu produto, você demorou demais para lançá-lo". Nolan Bushnell, o fundador do Atari e considerado o pai dos videogames eletrônicos, revela: "O ingrediente essencial é tirar sua bunda da cadeira e começar a fazer alguma coisa. É simples assim. Muitas pessoas têm ideias, mas apenas algumas fazem algo sobre elas no momento. Não amanhã. Não na semana que vem. Mas agora. O verdadeiro empreendedor é um 'fazedor', não um sonhador". Walt Disney foi ainda mais incisivo: "O jeito de começar é parar de falar e começar a fazer".

Pense nas citações anteriores. Você não sente a urgência de começar a empreender agora?! Vai lá! Arregace as mangas e comece o seu próprio negócio. Ou continue esperando o momento perfeito, adie para segunda-feira ou para quando você sair do emprego atual ou use qualquer outra desculpa mais criativa. Quando for começar seu negócio, lembre-se do que Jeff Bezos, bilionário fundador da Amazon, a maior vendedora de livros *on-line*, disse: "A minha experiência prova que aqueles que têm sucesso são os exploradores e pioneiros. Aqueles que focam em matar os competidores falham". Outro motivo para empreender é ser o autor da própria história. Muitas vezes, vinte anos de experiência profissional significam 1 ano de experiência repetido vinte vezes.

Algumas das minhas citações favoritas de bilionários sobre empreendedorismo são essas:

"Diga sim a convites para um novo país, diga sim para conhecer novos amigos, diga sim para aprender algo novo. Sim é como você começa o seu primeiro emprego, e seu próximo trabalho, e a vida com seu cônjuge, e até mesmo seus filhos".

Eric Schmidt, chairman do Google

"Você não deve se concentrar em porque você não pode fazer algo, que é o que a maioria das pessoas fazem. Você deve se concentrar sobre o porquê, talvez, você pode ser uma das exceções".

Steve Case, cofundador da AOL

"Estou convencido de que cerca de metade do que separa os empreendedores de sucesso dos não bem-sucedidos é pura perseverança".

Steve Jobs, cofundador da Apple

"Eu sabia que se eu falhasse não me arrependeria, mas eu sabia que a única coisa que eu poderia lamentar era não tentar".

Jeff Bezos, fundador da Amazon

Os bilionários vêm de diferentes setores e começaram suas empresas de centenas de maneiras distintas, o negócio é apostar alto e ser seu próprio chefe. Eles mostram resiliência para seguir em frente mesmo depois de ouvir muitos nãos e um desejo ardente de botar a mão na massa e arregaçar as mangas para criar seus negócios extremamente rentáveis. Poderíamos elaborar muito sobre as melhores maneiras de como empreender e razões pela qual empreender é a melhor estrada a ser tomada, porém a lição principal é que em qualquer setor há oportunidades de criar negócios extraordinariamente lucrativos. Segue o *ranking* dos bilionários em 2013, separados por setor e com exemplos de bilionários brasileiros:

1. Investimentos: 148

Exemplo: Lírio Parisotto, depois de abandonar sua vida como agricultor aos 13 anos de idade, foi seminarista, bancário, médico e comerciante, até chegar a industrial e dono da empresa Videolar – que gerou os recursos necessários para que ele multiplicasse seu capital por meio da bolsa de valores.

2. Moda e varejo: 146

Exemplo: Alexandre Grendene Bartelle, acionista majoritário da fabricante de calçados Grendene, maior exportadora de calçados do Brasil.

3. Imobiliário: 129

Exemplo: Elie Horn, brasileiro judeu nascido na Síria e fundador da Cyrela Brazil Realty, a maior empresa do mercado imobiliário brasileiro na incorporação de empreendimentos residenciais.

4. Diversificados: 125

Exemplo: Maria Helena Moraes Scripilliti, filha de José Ermírio de Moraes, fundador do Grupo Votorantim, um dos maiores e mais diversificados grupos da América Latina, com negócios nas áreas de alumínio, papel e celulose, energia, cimento e outros.

5. Alimentício: 100

Exemplo: Francisco Ivens de Sá Dias Branco, fundador da M. Dias Branco S.A. Indústria e Comércio de Alimentos, companhia de alimentos que fabrica, comercializa e distribui biscoitos, bolos, lanches, margarinas e outros produtos em todo o Brasil, com sede na cidade de Eusébio, Ceará.

6. Tecnologia: 95

Exemplo: Eduardo Saverin, brasileiro cofundador do Facebook, que hoje mora em Cingapura.

7. Industrial: 89

Exemplo: Eggon João da Silva, um dos fundadores da WEG, multinacional brasileira que emprega mais de 27 mil pessoas e manufatura mais de 11 milhões de motores por ano. Listada na bolsa, a WEG é a maior produtora de motores elétricos da América Latina.

8. Energia: 83

Exemplo: Rubens Ometto Silveira Mello, primeiro a se tornar bilionário com o etanol.

9. Financeiro: 78

Exemplo: Joseph Safra, herdeiro da família multibilionária dona do Banco Safra.

10. Mídia: 69

Exemplo: os três irmãos Roberto Irineu, João Roberto e José Roberto Marinho, herdeiros da Rede Globo.

Você pode criar bilhões de desculpas para deixar para amanhã ou para segunda-feira o plano de começar o seu próprio negócio, mas independentemente do seu ponto de partida, do seu passado e das suas qualificações, você com certeza tem o que precisa para ter seu próprio negócio.

Empreender não é o caminho garantido para a felicidade, mas é praticamente o único caminho para os bilhões. Reitero, a não ser que você seja um "esperma sortudo" ou case-se com um(a) bilionário(a), há que empreender para se tornar bilionário. Apenas uma pequena fração de bilionários tornou-se bilionária sendo empregado.

Concluímos com uma frase de Bill Gates, o homem mais rico do mundo, e outra de Muhammad Yunus, ganhador do prêmio Nobel:

> "Eu falhei em algumas provas [na faculdade], mas meu amigo passou em todas. Agora ele é um engenheiro na Microsoft e eu sou o dono".
>
> BILL GATES

> "Todos os seres humanos são empreendedores. Quando estávamos nas cavernas, trabalhávamos todos por conta própria... Encontrando nossa comida, nos alimentando. Foi aí que a história da humanidade começou. Quando a civilização chegou, nós suprimimos isso. Nos tornamos 'empregados' por causa de um rótulo que dizia 'Você é um empregado'. Nós esquecemos que [todos] éramos empreendedores".
>
> MOHAMAAD YUNUS

PERFIL – EMPREENDER! JÁ!

O autor do texto a seguir é Flávio Augusto[5], que enriqueceu com a venda da escola de idiomas Wise Up. Flávio (ainda) não é bilionário em dólares, mas já é dono de um time de futebol nos Estados Unidos, o Orlando City, que fechou a compra de Kaká, ex-melhor jogador do mundo.

SE EU TIVESSE APRENDIDO ISSO HÁ 20 ANOS... ...CHEGARIA AONDE CHEGUEI NA METADE DO TEMPO

(Texto para empreendedores que ainda não saíram do armário. Se você não se considera um empreendedor, caso leia, por favor não se ofenda*).*

Em um emprego convencional, ao dividirmos o salário pela quantidade total de horas trabalhadas no mês, chegaremos ao valor de sua hora de trabalho. Na prática, independentemente da área de atuação, é isso que o empregado está vendendo ao seu patrão: seu tempo. Ou seja, um empregado é um vendedor de tempo. No entanto, o tempo é um ativo finito, distribuído a cada um de forma igualitária, afinal, todos – sem exceção –, competentes ou não, têm exatamente a mesma quantidade de tempo todos os dias: 24 horas.

---

5 Texto disponível em: <http://geracaodevalor.com/blog/se-eu--tivesse-aprendido-isso-ha- 20-anos>.

Além do tempo que o empregado vende para a empresa na qual trabalha, ele também precisa de mais tempo para compromissos familiares, para dormir, exercitar-se, divertir-se, participar de ações sociais, viajar, ir ao médico, dentista, alimentar-se etc. Logo, como temos um tempo limitado e muitas outras responsabilidades, o modelo empreguista e celetista convencional jamais proporcionará a seus empregados um meio de realizarem com plena satisfação suas aspirações financeiras, familiares, sociais e de qualidade de vida, o que acaba gerando a médio prazo muita insatisfação e frustração.

Alguns ocuparão o topo da pirâmide das organizações, chegarão a cargos executivos e terão acesso, por meio de uma remuneração variável extra no final do ano, a ganhos um pouco mais privilegiados, dentro desse modelo industrial. Mas, em contrapartida, seu tempo será ainda mais absorvido com viagens, reuniões, videoconferências, congressos, eventos, cursos, treinamentos etc. Ocupar uma posição executiva numa empresa importante não consumirá menos do que 70 horas semanais de trabalho intenso, sem contar com outras 20 horas, quando o cérebro do executivo está ligado em suas metas e compromissos enquanto está com sua família.

Ocupei uma posição como diretor de uma empresa bem cedo, aos 21 anos de idade, quando passei a conhecer essa rotina. Sempre encarei toda essa movimentação como um investimento, assumindo esse estilo de vida com alegria a fim de conquistar uma vida mais confortável para minha família. Afinal, era muito jovem, sem filhos e tinha a Luciana totalmente envolvida e alinhada com o mesmo projeto.

Como você pode perceber, existe uma grande distorção, deixando a grande maioria, em empresas privadas ou públicas, com perspectivas muito limitadas. Para resolver essa distorção, seria necessário falarmos de forma mais séria sobre empreendedorismo, mas infelizmente, pela livre iniciativa, estatisticamente já sabemos que na hora de correr mais riscos, a maioria sai de fininho e acaba abraçando de volta a prática convencional da venda de tempo. Mas o que eles não percebem é que, ao não assumirem esses pequenos riscos, eles acabam correndo um enorme e real perigo de passarem pela vida como meros pagadores de contas, como eles próprios testemunharam, em muitos casos, seus pais, vizinhos e amigos durante toda vida.

Há uma frase muito famosa da conhecida afro-americana abolicionista Harriet Tubman que resumiria muito bem essa realidade e que dispensa de minha parte qualquer comentário:

> *"Libertei mil escravos. Poderia ter libertado outros mil se eles soubessem que eram escravos".*

A solução para quem deseja se libertar desse modelo seria o entendimento de que vender tempo, modelo trabalhista dominante, é uma atividade extremamente limitada, porque vender tempo é uma atividade personalíssima, afinal, seu tempo é apenas seu e não pode ser emprestado, doado, alienado ou alugado a ninguém. Isso significa que se você fica doente ou impedido de vender seu tempo, terá que sobreviver às custas do famigerado INSS.

Melhor do que vender tempo é vender o seu próprio produto ou serviço. Por isso, sugiro trocar o que você tem vendido nos últimos anos. Pare de vender seu limitado tempo e passe a vender seu próprio produto. Desenvolva sua marca, seu modelo de negócios, crie seus diferenciais em seu setor e venda sem limites. Sem limites de tempo, sem limites geográficos, em outros países, on-line, *venda direta, com catálogo, no varejo, de porta em porta, com distribuidores, representantes comerciais, franquias, cadeias próprias de lojas etc.*

Fazendo isso, você não será mais remunerado pelo relógio, mas sim pela performance *de seu produto no mercado (dividendos). Sua capacidade de gestão e de criar processos eficientes dará a você a liberdade para usar seu tempo da maneira que você considerar mais produtiva em todos os setores de sua vida, pois você não será mais remunerado por ele, podendo, quando estiver nesse estágio evolutivo em seu negócio, planejar férias em baixa temporada sem filas e apagões nos aeroportos, conhecer outros países, outras culturas, idiomas, sem que a sua empresa perca* performance, *pois você terá tido o mérito de tê-la estruturado muito bem.*

*Mas se você não quiser parar por aí e continuar evoluindo dentro desse processo, em vez de ter o foco apenas no dividendo, resultado do desempenho de seu produto no mercado, você poderá subir mais alguns degraus e trabalhar pelo seu patrimônio (*equity*), ou seja, o valor de seu negócio. O valor de uma empresa pode ser medido pela sua capacidade de geração de caixa e avaliado através de balanços auditados e processos consolidados em seu segmento de atuação. Analistas e bancos especialistas em fusões e aquisições (em inglês M&A) estão aptos a fazer uma avaliação de seu modelo de negócios por meio de metodologias como Discounted Cash Flow (DCF), encontrando investidores (fundos), competidores estratégicos ou até a possibilidade de abrir para o mercado (IPO). Nesse estágio, você passará a vender ações.*

Comece vendendo seu tempo, mas se quiser mais da vida, pense fora da caixinha e venda seu próprio produto ou serviço. Agora, se desejar subir mais alguns degraus, conquiste o patamar que lhe tornará apto a vender as ações de sua companhia. Venda 1%, 20%, 50% ou até 100%, de acordo com a melhor estratégia. Aliás, sempre vale a pena lembrar que o prêmio máximo de um empreendedor é ver o seu empreendimento sendo reconhecido pelo mercado a ponto de ser comprado.

Em qualquer hipótese, seja vendendo tempo, produto ou ações, existirá espaço somente para os que produzem e têm performance. *Frequentadores mecânicos de escritórios mal conseguirão manter seu emprego, ou seja, seu direito de vender seu tempo restrito para uma empresa em troca de um salário.*

O que você anda vendendo ultimamente? Não pense pequeno, mas tenha a coragem de começar pequeno e crescer com seus próprios méritos. Você pode até não saber como e por onde iniciar seu projeto, mas só de começar a pensar fora da caixinha, muitas ideias vão começar a surgir.

Para finalizar, sempre aparece alguém me perguntando: "Mas, Flávio, e se todo mundo resolver abrir uma empresa? Quem é que vai trabalhar nelas?" Essa pergunta é clássica e, por isso, já vou deixar respondida por antecipação:

Se você fizer uma pesquisa com 1.000 pessoas e perguntar "Você gostaria de ser dono de uma empresa de grande sucesso e ter sua independência financeira?", 99,9% vão responder que sim. Mas, estatisticamente, na hora de pagar o preço, trabalhar 12 horas por dia e correr riscos, a maioria sai de fininho. Logo, estatisticamente, eu posso afirmar que empreender será para uma minoria mais corajosa, inconformada com o "lenga-lenga" corporativo e que não quer esperar 30 anos para começar a desfrutar, se tudo der certo, de uma qualidade de vida acima da média. Por isso, afirmo que minha expectativa quando escrevo este texto é de atingir uma minoria. Na realidade, se apenas uma única pessoa for de fato impactada e resolver sair do armário para explorar mais de seu potencial, eu já ficarei muito satisfeito.

Como você verá em diversos exemplos neste livro, bilionários estão acostumados a assumir riscos monumentais. Conforme já mencionado, o texto anterior foi escrito na íntegra por Flávio Augusto e publicado no *site* Geração de Valor. Enviei diversos e-mails ao *site* pedindo autorização, mas não tive resposta. Então, assumi o risco de publicar as sábias palavras desse bilionário em reais. Espero que ele goste, afinal creio que um dos seus objetivos-chave seja espalhar sua mensagem para o maior número de pessoas. E espero que ao publicar este texto, eu tenha colaborado com Flávio Augusto, que considero ser uma das pessoas que mais apoia empreendedorismo no mundo.

Top 5 e População

Habitantes por País do Top 5

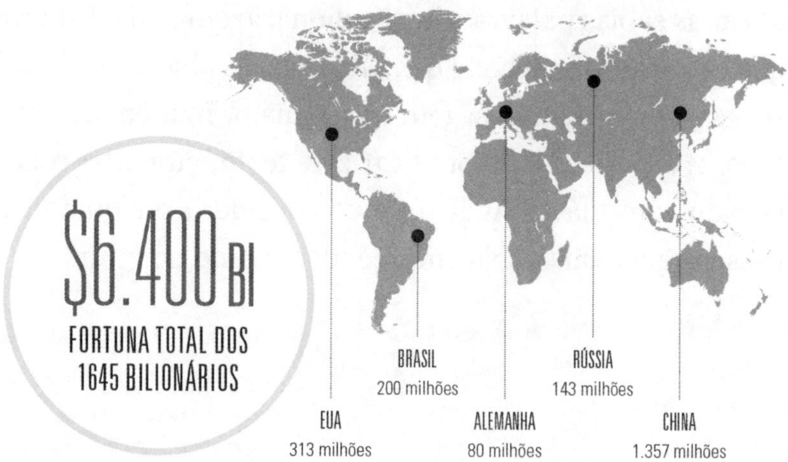

Riqueza total combinada

Mulher vs. Homem

0,4%

Apenas 7 bilionários assumiram ser gays

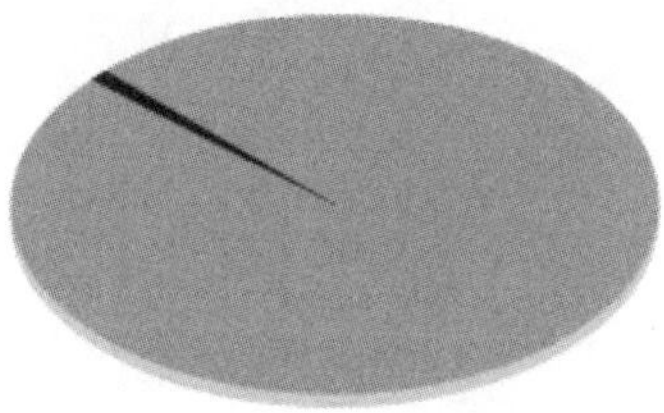

Idade

Mais Novo

KEI PERENNA $1,3 BILHÕES
(Hong Kong)
Origem da fortuna:
Setor Imobiliário (Herdeiro)

Mais Velho

DAVID ROCKEFELLER $2,9 BILHÕES
(EUA)
Origem da Fortuna:
Setor Financeiro e Petróleo (Herdeiro)

▪3

Tubarão nada com tubarão, sardinha nada com sardinha

"Tente nunca ser a pessoa mais inteligente da sala. E se você for, eu sugiro que você convide pessoas mais inteligentes... ou encontre uma nova sala."

Michael Dell, bilionário que inventou uma das maiores empresas de computador do planeta enquanto ainda era estudante universitário.

O que é um tubarão? Antes de responder a esta pergunta vale recorrer ao famoso caso do juiz americano Potter Stewart, que afirmou "Talvez eu nunca seja capaz de descrever o que é pornografia de maneira inteligível. Mas eu sei o que é [pornografia] quando vejo". Talvez nem mesmo Jorge Paulo Lemann, o homem mais rico da América do Sul, saiba definir exatamente o que é um tubarão, mas ele entende a importância de ser e estar entre tubarões. Lemann não faz nenhum empreendimento sem seus dois sócios-tubarões-bilionários, Carlos Alberto Sicupira e Marcel Herman Telles. Lemann conheceu "Beto" Sicupira enquanto os dois surfavam nas praias do Rio de Janeiro e trabalhou com Marcel Telles no Banco Garantia, onde Marcel começou como "liquidante" – uma espécie de *office boy* que levava papéis negociados pelo banco para os clientes. Os três tubarões tornaram-se sócios e hoje formam um trio de mosqueteiros bilionários que fazem todos os empreendimentos juntos e já são donos do Burger King, Budweiser, Heinz Ketchup e muitas outras marcas presentes no seu cotidiano. Parece que Marcel Telles ouviu o seguinte discurso antes de aceitar trabalhar como liquidante no Banco Garantia:

"Não importa o que você faz na vida, a sua capacidade para ter sucesso será em grande parte dependente da sua capacidade de trabalhar com pessoas. De fato, já foi dito muitas vezes que o que você faz é menos importante do que com quem você faz isso – que as pessoas com as quais você se rodeia, se um cônjuge, ou amigos, ou colegas de trabalho, acabaram por ser o principal fator determinante do curso que sua vida vai tomar. Portanto, não basta concentrar-se nas descrições de cargo, ou no nome e na marca da organização da qual você faz parte – concentre-se também em para quem e com quem você vai trabalhar".

Contudo, estas sábias palavras foram ditas na Universidade George Mason, em 2009, por Steve Case, bilionário norte-americano que fundou a America Online (AOL) e hoje dedica grande parte do seu tempo na otimização de uma ferramenta *on-line* para fazer com que ações filantrópicas sejam mais eficientes e eficazes.

Como encontrar tubarões? Muitos bilionários buscam contatos com experts das áreas de seu interesse pessoal ou relacionado ao seus negócios. Por exemplo, Edson Bueno se aproximou do guru Peter Drucker, um dos pais da gestão por objetivos e autor da frase:

"Os líderes que trabalham da forma mais eficaz, nunca dizem 'eu'. E isso não é porque eles treinaram para não dizer 'eu'. Eles não pensam 'eu'. Eles pensam 'nós'; eles pensam 'equipe'. Eles entendem que o seu trabalho é fazer a equipe funcionar. Eles aceitam a responsabilidade e não tiram o seu da reta, mas o 'nós' recebe o crédito. Isto é o que cria a confiança, que permite que a tarefa seja concluída".

Para perpetuar seus negócios, Lemann aproximou-se do aclamado professor Jim Collins, que passou cinco anos estudando 1.435 empresas para determinar o que é preciso para transformar uma boa empresa em uma grande empresa. O resultado da extensa pesquisa é a base do clássico livro sobre longevidade de empresas, onde encontramos a seguinte pérola: "Se eu estivesse gerenciando uma empresa hoje, teria uma prioridade acima de todas as outras – adquirir as melhores pessoas que eu puder encontrar. Eu colocaria tudo fora para encher meu ônibus com as melhores pessoas. Porque as coisas vão mudar. Meu volante vai começar a girar. E o único e maior obstáculo ao sucesso da minha organização é a capacidade de obter e manter um número suficiente de pessoas certas". Eric Schmidt revelou à revista *Fortune* em 2009 que o melhor conselho que já recebeu veio de seu amigo também bilionário John Doerr, que sugeriu que ele deveria ter um *coach*. No início ele foi contra a ideia, por acreditar que era o melhor do mundo no que fazia, mas depois de um tempo percebeu que o *coach* o tornou ainda melhor e hoje recomenda que todos tenham um *coach* pessoal.

Aprender com os mais sábios é a norma entre os bilionários e sempre foi o melhor jeito de se aproximar de tubarões e maximizar o aprendizado: será que Platão teria se tornado um dos pensadores mais importantes da história da humanidade se não tivesse tido Sócrates como professor? Jim Rohn, renomadíssimo autor motivacional, é famoso pela máxima: "Você é a média das cinco pessoas com quem passa mais tempo". Marcel Telles disse: "Nós [ele e seus sócios bilionários Lemann e Sicupira] convivemos juntos por tantos e tantos anos que hoje se você nos olhar, provavelmente vai ver um pouco de cada um nos outros". Pare e olhe ao seu redor. Quem está ao seu lado? Não importa o cargo dessa pessoa – vale a pena repetir que, quando Lemann conheceu Marcel, este era um *office boy* – mas lembre-se de que ela já está, com certeza, impactando sua vida. Cave espaço na sua agenda para passar tempo com tubarões.

É impossível saber quem é tubarão apenas pela aparência, cargo, nacionalidade, idade, currículo ou conta bancária. E não sejamos elitistas: para ser tubarão não precisa ter berço, nem dinheiro e nem diploma universitário. É difícil definir o tubarão. Mas, creio que todos concordariam que tubarões têm algumas características em comum: estão em busca de desenvolvimento pessoal e profissional, desafios constantes, crescimento e inovação sustentáveis, têm responsabilidade social, conduta ética, e aquele reconhecido brilho nos olhos graças ao desejo ardente pelo sucesso. Warren Buffett, bilionário investidor americano, diz que todos temos um placar interno e um placar externo. O placar externo é como o mundo nos vê, o placar interno é como nós nos vemos. Buffett usa uma analogia: "Você gostaria de ser o maior amante do mundo, mas que todo mundo pensasse que você é o pior? Ou será que você preferiria ser o pior amante do mundo, mas que todo mundo pensasse que é o melhor?". Os tubarões focam em ganhar de goleada no placar interno.

Os verdadeiros tubarões respeitam o segundo mandamento dos bilionários: **Bilionário não é empregado.** Para atrair os melhores, muitas das empresas de maior sucesso no mundo transformam os melhores empregados, os tubarões, em sócios. No Banco Garantia, Lemann instaurou essa estratégia: quem atingisse metas agressivas tornava-se dono do negócio, mesmo que fosse como sócio minoritário. A empresa que faz o aplicativo de fotos Instagram também usava este tipo de recompensa para motivar seus tubarões. Quando o Facebook comprou o

Instagram em uma transação bilionária, todos os 13 empregados da empresa eram acionistas dela, ou seja, eram donos. E todos eles se tornaram milionários (em dólares). Investiguei esta transação para saber se o brasileiro Mike Krieger, que havia fundado o Instagram menos de 2 anos antes da venda para o Facebook, seria mais um bilionário brasileiro. Krieger ganhou uma considerável fortuna, mas ele não é um dos 65 bilionários brasileiros entre os 1.645 bilionários espalhados ao redor do planeta. Jack Ma, bilionário e primeiro chinês a ser capa da *Forbes* desde que a revista foi fundada, em 1917, ensina: "Você deve encontrar alguém que tenha habilidades complementares às suas para começar um negócio. Você não precisa necessariamente procurar alguém de sucesso. Encontre a pessoa certa, não a melhor pessoa". No mercado, Lemann é conhecido como o estrategista, enquanto Sicupira é o Pitbullp, e Telles é o cara do foco. Ao procurar sócios-tubarões, lembre-se de que, idealmente, eles terão um conjunto de habilidades diferentes das suas.

Tubarões, obviamente, seguem o mandamento de que "tubarão nada com tubarão e sardinha nada com sardinha". Então, torne-se um tubarão e faça o que for necessário para atrair tubarões. As melhores universidades do mundo costumam ser excelentes aquários para não só encontrar tubarões mas também para aprender a nadar como um. Grandes fortunas foram feitas por equipes de tubarões que se conheceram na universidade. Mark Zuckerberg levou a fama por fundar o Facebook, mas foi ajudado por dois colegas de Harvard, que também se tornaram bilionários: Dustin Moskovitz, que era seu colega de quarto, e o brasileiro Eduardo Saverin, o mais jovem bilionário brasileiro, que hoje mora em Cingapura. O bilionário fundador da rede de supermercados Walmart, Sam Walton, disse: "Nos negócios, indivíduos nunca ganham! São equipes que vencem!". Zuckerberg parece levar a sério esse mantra e continua caçando tubarões para fazer o Facebook crescer. Para atrair uma renomada executiva do mercado, Sheryl Sandberg – outra formada em Harvard e que trabalhou como executiva no Google – Zuckerberg deu-lhe, entre outras regalias, um pacote de ações do Facebook. Com Sandberg na equipe, o preço das ações do Facebook subiram exponencialmente e Sheryl se tornou uma das 32 bilionárias que tiveram participação na constituição da própria fortuna em vez de serem "espermas sortudos."

O homem mais rico do mundo foi ajudado por dois amigos tubarões: Paul Allen estudou com Bill Gates no ensino médio e os dois se tornaram grandes amigos pela paixão em comum por computadores. Na faculdade, Gates viveu no mesmo corredor que Steve Ballmer, nos dormitórios de Harvard. Bill Gates não teria transformado a Microsoft no que é hoje sem o apoio dos amigos tubarões Paul Allen e Steve Ballmer. Hoje, os três são bilionários. Como disse Larry Ellison, bilionário fundador da empresa de software Oracle: "Sozinho você não é nada. Mas quando você está com um time, eles podem fazer você parecer ótimo".

Paul Allen, Bill Gates e Steve Ballmer: $111,2 bilhões

Nas melhores universidades do mundo, muitos professores também são tubarões. O mais famoso caso de relação mentor-aprendiz-tubarão é aquele que criou três bilionários: Google. Quando o professor David Cheriton começou a ensinar ciência da computação na Universidade de Stanford, ele não poderia imaginar que dois estudantes de PhD, Sergey Brin e Larry Page, seriam seu bilhete para entrar na exclusiva lista de bilionários da *Forbes*. Sergey Brin, que nasceu na Rússia, conheceu Larry Page em um *tour* pelo *campus* de Stanford para novatos. Em troca de algumas ações da empresa, Cheriton deu conselhos à dupla, um pouco de dinheiro – incluindo o primeiro cheque assinado para a recém-criada Google – e fez diversas aprentações a investidores. Graças, em parte, ao empurrão inicial do professor, o Google saiu do papel para se transformar em uma das empresas com maior valor de mercado da história e que está entre as instituições mais influentes do mundo hoje.

As histórias por detrás da criação de algumas das maiores fortunas da história da humanidade revelam que sócios-tubarões podem ser encontrados em qualquer lugar.

Um irmão pode ser seu sócio-tubarão.

Frank Fertitta III e seu irmão mais novo Lorenzo Fertitta são donos do UFC, de alguns cassinos e do ultimatepoker.com – o primeiro *site* de apostas *on-line* aprovado pelas autoridades dos Estados Unidos. Eles compraram o UFC em 2001 por 2 milhões de dólares e multiplicaram o valor deste ativo em centenas de vezes.

Frank e Lorenzo Fertitta: $2,6 bilhões

Um grande amor pode revelar-se um sócio-tubarão.

Stefano Gabbana e Domenico Dolce foram namorados e hoje são sócios na Dolce & Gabbanna, uma das mais poderosas marcas da indústria de moda. Juntos eles também são proprietários do Regina D'Italia, um iate de quase 170 pés que o ex-casal costuma usar nos verões pelo mar Mediterrâneo.[6]

Stefano Gabbana e Domenico Dolce: $3,3 bilhões

6 Apenas 7, ou seja 0,4% dos 1.645 bilionários, assumiram abertamente ser gays, lésbicas ou bissexuais. Peter Thiel, fundador do sistema de pagamentos *on-line* Paypal, é outro bilionário gay. Ele admitiu que só saiu do armário aos 35 anos. O bilionário de Hong Kong Cecil Chao ofereceu dobrar a oferta inicial de 65 milhões de dólares que está disposto a pagar ao homem que seduzir e se casar com sua filha lésbica, Gigi, que se casou com a namorada em 2012.

Koo Bon-Moo e Koo Bon-Neung: $2,6 bilhões

Fazer parte de organizações de *network* é outro jeito de encontrar tubarões. Por exemplo, Lemann fez parte da mesa de diretores da bolsa de valores de Nova York e foi nomeado membro diretor da Gillette na década de 1990, onde conheceu Warren Buffett, o segundo americano mais rico. Lemann impressionou Buffett naquela época e os dois se tornaram sócios décadas depois, com a aquisição da Heinz Ketchup por mais de 23 bilhões de dólares em 2013. Michael Dell, bilionário que fundou a empresa de computadores Dell no dormitório da faculdade do Texas, disse em uma palestra:

"Tente nunca ser a pessoa mais inteligente da sala. E se você for, eu sugiro que você convide pessoas mais inteligentes... ou encontre uma sala diferente. Nos círculos profissionais é chamado de *networking* (ou rede de contatos em português). E na vida é chamado de família, amigos e comunidade. Somos todos dádivas uns aos outros, e meu próprio crescimento como um líder me mostrou mais uma vez que as experiências mais gratificantes vêm de minhas relações".

Para encontrar tubarões, Jorge Paulo Lemann afirmou em aula magna na Faculdade Getúlio Vargas (FGV) que entrevistava mais de mil pessoas por ano enquanto seu Banco Garantia empregava apenas 40 indivíduos. Impossível não lembrar dos ditados que minha avó me dizia: "diga-me com quem andas e te direi quem és" e "passarinho que acompanha morcego acorda de ponta-cabeça". Para encontrar tubarões no Brasil, indico participar da Brazil Foundation, instituição sem fins lucrativos que arrecada fundos para ajudar projetos sociais no Brasil e ir aos eventos organizados por João Doria Jr. por meio de sua empresa LIDE. Nos eventos organizados pelo LIDE foi onde encontrei o maior número de bilionários *per capita* no Brasil.

Convencido de que vale a pena ser e estar com tubarões? Quer se tornar um tubarão? Um bom caminho para chegar lá, provavelmente, será seguir os ensinamentos dos oito capítulos deste livro e lembrar-se do que o bilionário Wayne Huizenga, ex-dono da rede de locadoras de vídeo Blockbuster, afirmou: "Pessoas são o que determinam o seu sucesso no futuro. Cerque-se de boas pessoas [os tais tubarões] e você não falhará".

Tubarões bilionários

Beto Sicupira, Marcel Telles e Jorge Paulo Lemann: $38,8 bilhões

Perfil: Jorge Paulo Lemann

Nascido em 26 de agosto de 1939, Lemann é o homem mais rico da América do Sul. O pai de seis filhos, com duas mulheres diferentes, teve sua fortuna estimada em 19,7 bilhões de dólares na lista da Forbes de 2014.

Filho de um empreendedor suíço com uma brasileira, Jorge Paulo Lemann estudou na Escola Americana do Rio de Janeiro, na qual ele passava a maior parte do tempo surfando e jogando tênis. Aos 17 anos, mudou-se para Boston para estudar na prestigiosa Harvard University. Lemann contou em uma palestra aos jovens da sua Fundação Estudar, que patrocina bolsas para jovens brasileiros irem estudar nos Estados Unidos, que: "nunca tinha estado nos Estados Unidos antes e foi um horror. Eu morria de frio. Tinha saudades da praia. Eu não estava acostumado a estudar e nem a escrever. Tem que escrever muito em Harvard. Então as minhas notas eram as piores possíveis". Lemann admitiu que não tinha tido um grande sucesso acadêmico até então e que provavelmente havia sido aceito em Harvard graças a suas habilidades como tenista. O bilionário revelou também que quase foi expulso de Harvard por soltar fogos no *campus* da universidade e que só voltou para fazer o segundo ano da faculdade, pois em suas próprias palavras "meus pais fizeram uma pressão enorme para [eu] ter o diploma".

Ao retornar a Harvard, ele diz que "[se] concentrou totalmente em acabar os próximos três anos em dois" e comenta sobre o que se arrepende do tempo em Harvard:

"Eu poderia ter aprendido muito mais em Harvard, que é uma experiência que você absorve. Você não necessariamente aprende coisas específicas. Eu não tive tempo para o relacionamento, o acesso a professores. Quando eu era estudante, o Paul Samuelson, economista ganhador do Prêmio Nobel, e o [renomadíssimo diplomata Americano] Kissinger eram professores. Mas eu não me beneficiei de nada disso. O foco era tocar para a frente. Eu não tinha ideia de como tudo aquilo que tinha visto lá afetaria tudo o que me moveu tanto nos negócios como na vida".

Quando o homem mais rico do Brasil nos diz onde cometeu um grande erro, vale a pena prestar atenção. Se Lemann pudesse voltar no tempo, ele certamente se dedicaria a conhecer melhor os outros tubarões de Harvard e não só a terminar os estudos o mais rapidamente possível.

O jovem se formou com 20 anos e foi trabalhar como *trainee* do Credit Suisse, na Suíça. Este emprego não durou muito tempo e ele abandonou a promissora carreira no mundo das finanças para ir atrás de seu sonho, ser jogador profissional de tênis. Foi pentacampeão brasileiro e teve destaque internacional: jogou em Wimbledon e competiu na copa do mundo de tênis, Copa Davis, duas vezes, uma pela Suíça, em 1972,e outra pelo Brasil, no ano seguinte – ele tem dupla nacionalidade, já que não só seu pai, mas também seus avós maternos são suíços. Lemann revelou a uma revista brasileira que resolveu desistir de ser profissional no tênis quando percebeu que provavelmente não conseguiria se tornar um dos 10 melhores do mundo.

Ao pendurar as raquetes e retornar ao Brasil, dessa vez surfando menos, mas ainda sem ter uma ideia clara do que iria fazer da vida, Lemann decidiu ampliar seu leque de opções. "Eu achei que em um banco de investimentos teria a chance de ver vários negócios e oportunidades sem me comprometer com uma carreira específica", conta. Enquanto trabalhava no mercado financeiro chegou até a escrever colunas de domingo para o *Jornal do Brasil*, mas foi rapidamente despedido por causa do óbvio conflito de interesses. Quem esperaria que o homem mais rico do Brasil já tivesse sido mandado embora de um emprego? Lemann afirmou:

> "A única maneira de se encontrar é fazendo, testando. Isso abre o horizonte um pouco. Mas, não pode passar o resto da vida testando, senão não chega a nenhum lugar".

No Rio de Janeiro, Jorge Paulo resolveu entrar em uma empresa nascente no setor financeiro. "Eram pessoas formadas em Yale, Princeton... Mas eram muito melhores vendedores e marqueteiros do que administradores", disse o bilionário. Outra coisa que o atraía muito era o fato de ter podido entrar como sócio minoritário da empresa. Mesmo quando estava distante dos bilhões, Lemann já sabia que sendo apenas empregado não chegaria muito longe. Veio o primeiro grande tombo: "Emprestaram dinheiro mal e depois de quatro anos a empresa faliu", conta. "Eu não era da área do crédito, nem diretor da empresa, mas estava ali no meio". Ele revelou que o gosto do fracasso foi traumático: "Eu achava que era o bom, formado em Harvard. Mas com 25, 26 anos, eu estava sem dinheiro nenhum e participando de um fracasso".

No tênis buscou a força para seguir em frente, "Eu vinha do tênis [onde] a gente perde, não ganha sempre. Eu aprendi que se você perde, você tem de usar aquela experiência para aprender o que fez de errado e como ganhar da próxima vez". O suíço-carioca daria a volta por cima: em setembro de 2014, a *Forbes* estimou que sua fortuna havia ultrapassado a marca dos mais de 20 bilhões de dólares.

Lemann passou 8 anos trabalhando em diversas instituições financeiras no Brasil até montar, em 1971, o lendário Banco de Investimentos Garantia, comprando a corretora com o mesmo nome onde ele trabalhava. Segundo ele, uma das suas principais fontes de inspiração sempre foi o seu esporte predileto: "O tênis exige muita disciplina, treino e análise de como posso ser melhor. Minha atitude nos negócios sempre foi de fazer força, treinar e ter foco, porque, de vez em quando, as oportunidades passam e você tem que agarrar".

Em um bate-papo *on-line* promovido pelo *site* Na Prática, da Fundação Estudar, Jorge Paulo revelou: "Minha família tinha recursos patrimoniais imobilizados, que não tinham liquidez nenhuma. Eu tinha a necessidade de ganhar dinheiro para ter uma vida decente, viver bem". Mesmo tendo mulher e filhos pequenos para criar, Lemann rejeitou uma opção de carreira mais segura em grandes bancos para seguir o ensinamento do segundo capítulo deste livro: "Bilionário, não é empregado!", Jorge Paulo rejeitou uma proposta do gigante banco JP Morgan em nome da liberdade para cuidar do próprio negócio. Ele afirmou: "Teria sido uma situação mais confortável nos associar a eles". Em vez disso, resolveu ficar no seu Banco de Investimentos Garantia. "Eu achava que tinha mais potencial para crescer e me sentia mais livre trabalhando em uma empresa que estava começando do que em um negócio burocratizado", afirmou o homem mais rico da América do Sul.

O modelo de negócio implementado por Lemann no Banco Garantia era fortemente inspirado no agressivo banco de investimentos Goldman Sachs; Lemann nunca teve vergonha de afirmar que não só copiou muito do Goldman Sachs, mas também que gostaria que o Garantia fosse o Goldman Sachs brasileiro: foco na meritocracia, altos bônus e participação societária para os melhores tubarões.

Não restam dúvidas de que ele não conquistou toda esta fortuna sozinho. Em sua escalada até a lista premiada dos bilionários, centenas de tubarões que jogavam no seu time enriqueceram. Os mais famosos são os seus sócios bilionários, Marcel Herman Telles e Carlos Alberto Sicupira. Mas, há um batalhão de tubarões que suaram a camisa e também encheram o bolso. Estima-se que apenas no Banco Garantia, entre 1971 e 1998, de 200 a

300 tubarões tenham embolsado mais de 10 milhões de dólares cada um. Lemann destaca a importância de oferecer incentivos a funcionários de todas as áreas do negócio. "Goleiro também tem de ganhar bem", costuma dizer o magnata.

Lemann disse em um evento fechado no escritório Falconi:

> "Uma das principais características dos meus negócios foi sempre atrair gente boa e ter um olho bom para as boas pessoas. Isso também veio um pouco de lá [Harvard], porque eu convivia com os melhores. É como arte: quando você está perto de boa arte, você começa a ter um olho bom para arte. Comecei a ter um olho bom para pessoas porque convivia com a nata da nata".

Quer jogar no time de Lemann? Preste atenção nas dicas do bilionário sobre como ele identifica um talento, o que eu chamaria de tubarão-em-potencial: "Há pessoas que são ótimas, até foram para uma boa faculdade, mas não fizeram nada". Além de diplomas, Lemman busca pessoas que já comprovaram lograr. O foco não é só por onde você passou, mas o que você conquistou a cada etapa: "Você tem que ver o que ele já fez e o que fez de diferente". Atitude e tesão para brilhar são essenciais, "Gostamos de pessoas que têm brilho no olho, que querem fazer, querem ser bem-sucedidas", diz Lemann. Proatividade também é um fator-chave para o sucesso: "Não gostamos do soldado disciplinado que só vai seguir uma ordem".

Lemann prefere pessoas que criem "algum problema por querer andar muito sozinho" em vez daquelas que esperam por ordens. O bilionário brasileiro me faz lembrar o que afirmou o escritor americano Ralph Waldo Emerson: "Suas ações falam tão alto que eu não consigo ouvir o que você esta dizendo". Nitidamente, Lemann segue a mesma linha ao afirmar que "Tem gente que fala muito e bonito, mas que não faz e não acontece. Outros nem falam tanto assim, mas de alguma maneira conseguem chegar lá". Para jogar no time de Lemann, os tubarões precisam *walk the talk* (expressão em inglês que significa algo como "faça o que prega"). O bilionário também enfatiza a importância de trabalhar bem em equipe, o mito do "gênio louco sozinho" não funciona. "Pode ser gênio, mas não funciona bem dentro do nosso sistema", disse. Ética também é essencial para entrar na equipe de tubarões de Lemann: "As pessoas podem ser diferentes, ter qualquer religião, maneiras diferentes de fazer as coisas. Mas têm que ser ético. Se não é, não dá para trabalhar", afirmou. Executivos do banco Garantia revelaram que Jorge Paulo gosta de PSD: em inglês, é a sigla de *poor* (pobre), *smart* (inteligente) e *deep desire to get rich* (com grande desejo de ficar rico).

Em todos os seus empreendimentos, Lemann conta com seus dois sócios-tubarões. Os três estão juntos em todos os empreendimentos e até em ações filantrópicas, como a Fundação Estudar. No tempo livre, os três praticam pesca submarina. Para se destacar neste esporte é necessário não só ter a força para encontrar o peixe em seu ambiente natural, mas também saber o momento exato de arremessar o arpão na sua presa. Preparo meticuloso, paciência e foco na execução – o trio usa esta receita dentro e fora do mar e foi assim que enriqueceu.

O homem mais rico do Brasil e de toda América do Sul não é um *low profile*, expressão que usamos na *Forbes* para descrever bilionários que preferem evitar a imprensa. Lemann é um *no profile*. Apesar de ser descrito por uma revista americana como "o bilionário mais interessante do mundo", Lemann detesta entrevistas, raramente vai a eventos badalados e evita fortemente os flashes e microfones. Minha maior conquista na *Forbes* foi, até aqui, ser coautor da matéria de capa de setembro de 2012, que inclui uma entrevista com a presidente do Brasil Dilma Rousseff, que tinha sido eleita a terceira mulher mais poderosa do mundo. Certa vez, em uma reunião de pauta, Randall Lane, editor-chefe da *Forbes* e mito do jornalismo contemporâneo, me disse que apesar de a *Forbes* nunca garantir que alguma matéria será capa, Lemann seria definitivamente material para a capa. Depois ele deu risada, pois sabia que era missão quase impossível Lemann aceitar ser entrevistado.

Toda essa aversão à exposição até já ajudou o multibilionário brasileiro, como relata Cristiane Correa no excelente livro *Sonho Grande*, que traça um perfil do homem mais rico do Brasil:

"[Em 1991,] ele dirigia pela estrada Rio-Santos e parou em um posto de combustível para abastecer. Enquanto enchia o tanque, o local foi assaltado. Seu carro, um Passat com mais de 10 anos de uso, não despertou qualquer interesse dos marginais – e Jorge Paulo pôde seguir viagem tranquilamente".

Em 1999, seus filhos sofreram uma tentativa de sequestro, o que motivou Lemann a viver um tempo na sua segunda pátria, a Suíça.

Apesar de ser muito recluso, sabemos muito sobre a vida pessoal do homem mais rico da América do Sul. Ele casou-se duas vezes: primeiro com a psicanalista Maria de Santiago Dantas Quental, que faleceu em abril de 2005. Depois com a educadora suíça naturalizada brasileira Susanna Lemann, que deu aulas na Escola Suíço-Brasileira e também é apaixonada por esportes: mergulha, faz passeios de bicicleta, alpinismo e dirige helicópteros. Lemann teve dois filhos homens e uma filha mulher com cada uma de suas esposas.

Apesar dos bilhões de dólares nas contas, a família Lemann leva uma vida simples e não é adepta da cultura de ostentação. Em 1998, quando o Banco Garantia foi vendido, Lemann, dirigia um Gol, modelo básico. Essa passagem te faz lembrar de conhecidos que estão endividados até o pescoço mas que dirigem um carrão?

Não consegui entrevistar Lemann (ainda), mas já tenho uma estratégia para conseguir essa proeza (e, de quebra, assinar outra capa da Forbes): acredito que o seu novo sócio na Heinz Ketchup, Warren Buffett, o quarto homem mais rico do mundo, irá convencê-lo a assinar "a promessa de doação" (*giving pledge*)[7] e doar mais de 50% de sua fortuna a causas filantrópicas. Acredito que Lemann aceitará ser entrevistado para falar principalmente sobre filantropia e propagação da educação de qualidade, paixões pelas quais ele vem se dedicando cada vez mais, principalmente pela Fundação Estudar e pela Fundação Lemann.

Nem tudo são rosas para o megainvestidor. No mercado, há uma máxima que diz: "Se um investidor nunca perde dinheiro, alguma coisa está errada. Significa que ele não é agressivo". Lemann, Telles e Sicupira perderam muito dinheiro em algumas empreitadas, como no parque de diversões Playcenter, que passaram a controlar em 1995. Também investiram centenas de milhões para montar o Hopi Hari com a previsão de recuperar o dinheiro em 5 anos, mas não deu certo. Outro caso mal-sucedido foi a rede carioca de supermercados ABC. Após mais de três anos operando o empreendimento, passaram as lojas da ABC para o Pão de Açúcar pelo preço simbólico de mil reais.

É evidente que o tubarão dos tubarões, Lemann, ganhou muito mais do que perdeu e que, apesar de ter nascido em 1939, planeja continuar acelerando na estrada de ouro dos negócios. Como ele afirmou em uma palestra no escritório Falconi:

"A Heinz em si pode ser um sonho muito grande, mas nós estamos ainda na fase de digerir a empresa, de torná-la mais

---

7 Para saber mais sobre a *giving pledge* veja o capítulo 6.

eficiente. Estamos lá há poucos meses, e está indo bem. Também temos outros sonhos maiores, mas ainda não dá para falar sobre eles".

Especialistas do mercado financeiro especulam que Lemann e seus dois sócios-tubarões bilionários comprarão a Coca-Cola ou a Pepsi. Eu espero algo gigantesco do homem mais rico do Brasil e da América do Sul, que sempre diz: "Sonhe grande, já que sonhar pequeno e sonhar grande dá o mesmo trabalho".

Forbes 2014

Top 10 Mundo

BILL GATES

COLOCAÇÃO	NOME	FORTUNA (em dólares)
1	Gates, Bill	76 bi
2	Slim Helu, Carlos	72 bi
3	Ortega, Amancio	64 bi
4	Buffett, Warren	58,2 bi
5	Ellison, Larry	48 bi
6	Koch, Charles	40 bi
7	Koch, David	40 bi
8	Adelson, Sheldon	38 bi
9	Walton, Christy	36,7 bi
10	Walton, Jim	34,7 bi

TOP 10 Brasil

JORGE PAULO LEMANN

COLOCAÇÃO	NOME	FORTUNA (em dólares)
1	Lemann, Jorge Paulo	19,7 bi
2	Safra, Joseph	16 bi
3	Telles, Marcel Herrmann	10,2 bi
4	Marinho, Roberto Irineu	9,1 bi
5	Marinho, João Roberto	9,1 bi
6	Marinho, José Roberto	9,1 bi
7	Sicupira, Carlos Alberto	8,9 bi
8	Saverin, Eduardo	4,1 bi
9	Dias Branco, Francisco Ivens de Sá	4,1 bi
10	Faria, Walter	3,8 bi

4

Bilionário Entende o Poder da Educação

"Eu nunca deixei a escola interferir com minha educação."

Mark Twain

"A educação formal vai fazer você ganhar a vida; autoeducação vai fazer você ganhar uma fortuna".

"Se alguém está indo pelo caminho errado, ele não precisa de motivação. O que ele precisa é de educação para inverter seu caminho."

Jim Rohn

No capítulo anterior, enfatizando a importância de ser e estar com tubarões, foram citados diversos exemplos de como vale a pena se envolver nas melhores universidades do mundo. Contudo, ter um diploma não é sinônimo de ter educação. Ser aluno nas universidades de mais renome não significa, necessariamente, que você receberá a melhor formação. Mais importante do que ter diploma é ter conhecimento. De fato, há mais bilionários sem diplomas universitários do que bilionários com PhD (doutorado). George Lucas, o cineasta que ganhou bilhões e escreveu o nome na história com sucessos como Indiana Jones e Star Wars (Guerra nas Estrelas), disse:

"É assustador pensar em nosso sistema de ensino como algo um pouco melhor do que uma linha de montagem onde o único objetivo é a produção de diplomas".

Focando apenas no setor da tecnologia, podemos destacar Bill Gates, da Microsoft; Zuckerberg, do Facebook; e Sergey Brin, do Google, como exemplos de bilionários que conheceram seus sócios-tubarões em renomadíssimas universidades, mas abandonaram a faculdade para fundarem suas próprias empresas antes mesmo de conseguirem o diploma.

Pether Thiel, bilionário nascido na Alemanha e cofundador do sistema de pagamentos eletrônicos Paypal, é outro bilionário que é contra o arcaico sistema de educação tradicional, que há mais de um século tem sido praticamente o mesmo. Thiel acredita que o custo/benefício de ser aluno nas mais conceituadas universidades do mundo não vale a pena. Harvard custa aproximadamente 50 mil dólares por ano, sem contar os custos de moradia, alimentação, viagens etc. Além disso, Thiel acredita que universidades não são a melhor plataforma para espalhar conhecimento e que precisamos de outra maneira além do diploma para reconhecer jovens talentos. Todo ano Thiel distribui 2 milhões de dólares entre 20 jovens, para que eles abandonem a faculdade.

Websites e aplicativos bilionários que fazem parte do seu cotidiano

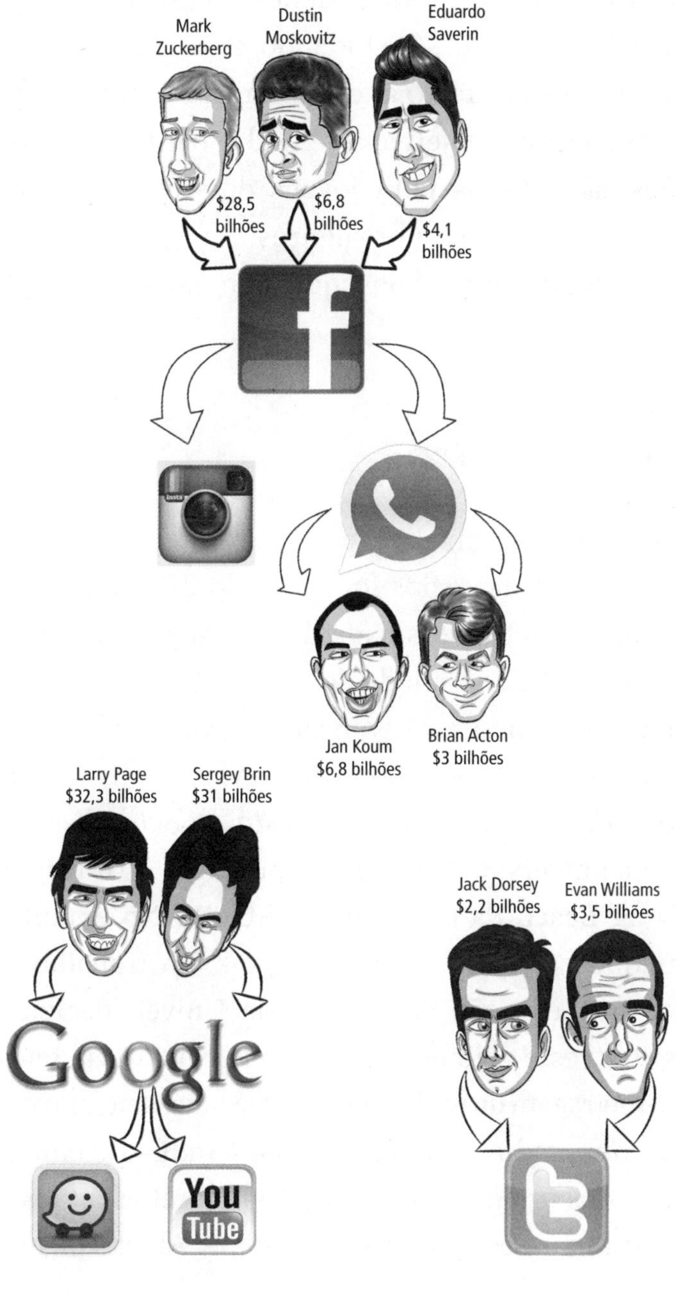

Cada um recebe 100 mil dólares para se transformar em empreendedor, focando em transformar um projeto em negócios viáveis e aprendendo na escola da vida, errando e fazendo, não só estudando. Para concorrer a essas bolsas, jovens de até 20 anos devem apresentar um plano ambicioso com o objetivo de "mudar o mundo" – as inscrições são abertas para jovens dos quatro cantos do mundo, inclusive para brasileiros.

A seguir, bilionários que não possuem diploma universitário:

Steven Spielberg

O bilionário cineasta, produtor, roteirista e magnata do mundo dos negócios foi rejeitado diversas vezes pelas renomadas Universidade de Los Angeles (UCLA), na Califórnia, e Universidade do Sul da Califórnia (USC). O responsável por fazer diversas gerações sonharem com filmes como *E.T. – O extraterrestre*, *Jurassic Park – Parque dos Dinossauros* e *A Lista de Schindler* entrou em uma universidade de menor prestígio, a Universidade de Long Beach da Califórnia (CSULB). No entanto, ele abandonou os estudos ao conseguir um trabalho como diretor de televisão no estúdio da Universal. Spielberg conseguiu este primeiro emprego porque havia feito um curta-metragem de muito sucesso e já havia feito um estágio não remunerado na concorridíssima indústria cinematográfica. Aos 55 anos, Spielberg decidiu retornar aos estudos e graduar-se para ter seu diploma. Alguns dizem que foi para servir de exemplo para os seus filhos, outros, que foi para alavancar o nome da universidade. A verdade é que Spielberg não precisou do diploma para tornar-se não só bilionário, mas também uma das personalidades mais importantes da história do cinema.

"Eu não sonho de noite, eu sonho de dia, eu sonho durante o dia todo. Meu trabalho é sonhar".

STEVEN SPIELBERG

RALPH LAUREN

Filho de um casal de imigrantes do leste europeu, ele cresceu no Bronx e trabalhou no comércio de tecidos com 16 anos de idade. Ralph lançou a Polo com um empréstimo de 50 mil dólares em 1967. Seu nome de batismo era Ralph Lifshitz, mas aos 16 anos ele mudou o sobrenome por um que considerava mais refinado: Lauren. O bilionário era traumatizado com as cruéis brincadeiras com seu antigo sobrenome, pois ele continha a palavra *shit* (em português, "merda"). Ralph chegou a servir no exército e durante dois anos estudou no Baruch College, no coração financeiro de Nova York, mas nunca se graduou. Depois da fortuna que acumulou no mercado de moda, ele se tornou um ávido colecionador de carros e chegou a pagar 1,4 milhões de dólares pela LaFerrari, um supercarro híbrido que pode ir de 0 a 190 km/h em 7 segundos. Em 2005, o Museu de Belas Artes de Boston exibiu sua impressionante coleção de carros, contendo Bugatti, Bentley, Alfa Romeo, Ferrari e muitos outros. Em 2011, um museu de Paris também exibiu sua esplêndida coleção.

"Perguntam como um pobre judeu do Bronx faz roupas formais? Tem a ver com classe e dinheiro? Não! Tem tudo a ver com sonhos".

Ralph Lauren

Steve Jobs

Um dos maiores gênios criativos contemporâneos só estudou cerca de seis meses no Reed College, uma escola de artes liberais altamente seletiva em Oregon. Jobs desistiu do diploma por achar que as mensalidades eram muito caras para os seus pais de classe média. Neste período, Jobs dormia no chão do quarto de amigos e ia ao templo Hare Krishna para ter refeições grátis. Sem a necessidade de seguir a grade curricular para obter o diploma, Jobs teve mais liberdade para ir apenas às aulas que lhe interessavam, por exemplo, caligrafia. Jobs estudava estas matérias por prazer, sem pensar na aplicação útil do que estava aprendendo. Mais tarde, ao cofundar a Apple, que chegou a ser uma das cinco empresas de maior valor de mercado do mundo, os traços aprendidos naquela considerada "inútil" aula de caligrafia marcaram a estética do primeiro Mac e ajudaram a revolucionar o mundo digital. A mente brilhante por trás de aparelhos como o iPhone e o iPad morreu em outubro de 2011 sem um diploma universitário, mas com uma fortuna avaliada em mais de 10 bilhões de dólares.

"Se você ainda não se encontrou, continue procurando. Não se acomode. Como em todos os assuntos do coração, você saberá quando encontrar. E, como qualquer grande relacionamento, só fica melhor e melhor à medida que os anos vão passando".

STEVE JOBS

DAVID GEFFEN

Geffen começou sua carreira de maneira nada glamorosa: ele era responsável pela triagem de correio na agência de talentos William Morris. Depois, fundou as gravadoras Asylum Records e Geffen Records, lançando as carreiras de bandas como os Eagles, Aerosmith e Guns N' Roses. Em 1990, ele vendeu a gravadora para MCA por 550 milhões de dólares. Quatro anos mais tarde, ficou sócio de Steven Spielberg, o lendário e também bilionário cineasta. Os dois levantaram 2 bilhões de dólares para começar a DreamWorks SKG, produtora de filmes responsável por *Shrek*, *Madagascar*, *Kung Fu Panda* e outros sucessos globais. Geffen tem uma das maiores coleções de arte privadas do mundo, estimada em cerca de 2 bilhões de dólares. Aposentado, divide seu tempo entre suas mansões em Nova York e Los Angeles, e seu iate, Rising Sun. Nada mal para o cara que abandonou os estudos na Universidade do Texas.

"Eu sempre pensei que cada pessoa inventa a si mesmo... Que somos cada um a invenção da nossa própria imaginação. E algumas pessoas têm uma capacidade de imaginar maior do que outros".

David Geffen

Micky Arison

Se você já ouviu falar da maior operadora de cruzeiros do mundo, Carnival Cruises, você está familiarizado com a forma como Micky Arison ganhou seus bilhões. Quando estava no segundo ano da Universidade de Miami, Arison abandonou os estudos para ir trabalhar na firma fundada pelo pai. Começou por baixo, no departamento de vendas. Teve a brilhante sacada de oferecer viagens mais curtas e baratas e, assim, proporcionou a milhares de pessoas a oportunidade de experimentar uma viagem de cruzeiro pela primeira vez. Conhecido por colocar a mão na massa e chamado de "Micky" por seus colaboradores, o ultracompetitivo Arison também é dono do time de basquete profissional Miami Heat, que chegou às finais da NBA entre os anos 2011 e 2014. Apesar de não ter terminado os estudos na Universidade de Miami, Arison tem uma fortuna avaliada em 6,3 bilhões de dólares em 2014.

"Trabalhar nos diversos departamentos da empresa me ensinou que se você tem as pessoas certas nos lugares certos, há de lhes dar liberdade".

Micky Arison

Ted Turner

Ted Turner é o magnata de mídia que fundou a CNN, o primeiro canal de notícias 24 horas do mundo. Ted foi expulso da Brown University por ter uma garota no seu dormitório. Turner começou sua carreira trabalhando nos negócios da família aos 12 anos. Todo ano ele fazia um estágio em um departamento diferente na empresa familiar. Quanto Ted tinha apenas 24 anos, seu pai suicidou-se e ele assumiu as rédeas da empresa. Nos últimos anos, Ted Turner virou um dos maiores proprietários de terras dos Estados Unidos, com mais de 2 milhões de hectares em seis estados. Em 1997, ele prometeu doar 1 bilhão de dólares para a ONU e, até agora, já doou mais de 950 milhões de dólares.

"Tudo bem se as pessoas escrevessem coisas negativas sobre mim desde que meu nome fosse soletrado corretamente".

Ted Turner

A lista de bilionários que não terminaram a faculdade é muito extensa. Em 2014, entre os 400 indivíduos mais ricos dos Estados Unidos, mais de 15% deles não terminaram a faculdade (o total de bilionários americanos foi de 492 na lista de 2014). "Muitas vezes, jovens vão para a faculdade porque eles fazem o que acham que deveriam fazer". Essa frase de Dana White, presidente do Ultimate Fighting Championship (UFC), nos força a questionar se ter um diploma universitário faz sentido para todos. Pessoalmente, eu acredito que todos deveriam ter a oportunidade de escolher estudar até o fim da universidade – deveria ser um direito de cada um, mas em alguns países em desenvolvimento ir à faculdade ainda é um privilégio para poucos. Contudo, está claro que se deve terminar a faculdade se achar que vai ter retorno, e não para atender a alguma norma social ou apenas ter um diploma. A propósito, Dana White não é bilionário, mas os principais donos do UFC, os irmãos Frank e Lorenzo Fortitta, são.

Educação e diploma

Lembre-se de que diplomas não são sinônimos de cultura nem de educação.

Dinheiro pode vir e ir, mas o que fica para sempre é educação e cultura. Enquanto alguém pode roubar seu dinheiro, nada e nem ninguém – a não ser algumas raras doenças – conseguem tirar o que está dentro da sua cabeça. Vale a pena repetir que os gregos diziam que se você perseguir a deusa da riqueza ela vai te esnobar e fugir. Porém, se cortejar a deusa da sabedoria e correr atrás dela com o vigor com que um faminto vai atrás de um prato de comida, ela irá, pouco a pouco, se aproximar de ti. Quanto mais você se aproximar da deusa da sabedoria, mais atrativo você será para a deusa da riqueza, que começará a vir atrás de você. Segue a receita mais indicada para conquistar a deusa da riqueza: primeiro dedique-se em conquistar a deusa da sabedoria. Imagine que delícia será o *menage à trois* entre você e essas duas deusas!

Infelizmente, no Brasil a valorização da cultura e da educação não é tão evidente. Na primeira década do século XXI, foi criada uma nova classe média no Brasil, com mais de 40 milhões de brasileiros deixando a pobreza. Nos últimos anos, também emergiu uma classe alta brasileira. Em 2012, tínhamos 37 bilionários brasileiros, em 2013, o Brasil foi berço para 45 bilionários – crescimento de mais de 20% em relação ao ano anterior. Em 2014, o número de bilionários brasileiros cresceu mais de 46%, chegando a 66 no total. O total de bilionários ao redor do mundo cresceu cerca de 15%, três vezes menos do que no Brasil. Será uma pena se os herdeiros – a quem chamo de "espermas sortudos" – dessa nova classe rica brasileira sejam jovens focados em ostentar suas fortunas e estourar garrafas de champanhe em festas, em vez de empresários de sucesso que conseguem multiplicar suas fortunas e contribuir direta e indiretamente para o crescimento do maior país da América Latina.

Por mais poderosos que os bilionários sejam, eles não têm controle sobre todas as variáveis que influenciam seus impérios. Por exemplo, em apenas um ano, 19 bilionários da Turquia deixaram de fazer parte da lista de bilionários. Com certeza, a situação macroeconômica do país foi essencial para a evaporação da riqueza – a moeda turca se desvalorizou fortemente contra o dólar. Entre 2013 e 2014, 100 pessoas deixaram de ser bilionárias em apenas 365 dias. Difícil não lembrar do que meu pai sempre me disse na época da adolescência: "Chegar ao topo é mais fácil do que se manter lá em cima".

No primeiro ano da lista, em 1987, 17% dos 140 bilionários eram japoneses, incluindo o homem mais rico do mundo. Em 2014, japoneses representaram apenas 1,64% dos 1.645 bilionários. Dez anos atrás, não havia nenhum bilionário chinês. Em 2014, há 152 bilionários chineses ou 9,24% da lista. Por muitos anos, a Europa era a região onde encontrávamos mais bilionários depois dos Estados Unidos, mas a Ásia passou à frente e continua se distanciando.

No Brasil, temos um caso emblemático de como as fortunas podem ser voláteis. Silvio Santos, o apresentador de TV que começou como camelô nas ruas do Rio de Janeiro e hoje é dono de mais de 30 empresas, foi listado como bilionário, com uma fortuna de 1,3 bilhões de dólares na lista de 2013. Ele não esteve presente na lista de 2014, pois a *Forbes* concluiu que, em fevereiro, sua fortuna era de aproximadamente 900 milhões de dólares. Em junho de 2014, a revista publicou um artigo afirmando que o apresentador que atirava dinheiro em formato de avião para a audiência de seu programa de TV tinha ganhado o *status* de bilionário novamente, em grande parte graças ao crescimento de sua marca de produtos cosméticos Jequiti.

Eike Batista, que chegou a ser o sétimo homem mais rico do mundo, conseguiu a proeza de perder 19,4 bilhões de dólares em um ano. Durante dois anos, Eike perdeu, em média, mais de 2 milhões de dólares por hora ou mais de 50 milhões de dólares por dia. Eike, filho de um ex-ministro da Energia, educado na Europa, casou-se com uma rainha do Carnaval e seu filho Thor é descrito pela imprensa brasileira como um *playboy* festeiro.

O ex-bilionário brasileiro ficou conhecido como o único homem que, além dos fundadores da Microsoft, entrou na lista de bilionários da *Forbes* graças a apresentações de Power Point. A piada ilustra sua fama de vendedor excepcional, mas de executor medíocre. Quando chegou a hora de entregar resultados, Eike não chegou nem perto do que havia prometido. Resultado: a empresa OGX, da qual ele era o maior acionista, protagonizou o maior *default* da história da América Latina.

Evaporação da fortuna de Eike Batista

Eike Batista perdeu (em dólares):
19,4 bi em um ano
1,61 bi por mês
53,6 milhões por dia
2 milhões e 223mil por hora
37 mil por minuto
616 por segundo

Se você demorar três minutos para ler esta página,
Eike teria perdido cento e onze mil dólares.

A história prova que fortunas podem desaparecer, às vezes da noite para o dia. Segue uma lista de bilionários que viram sua fortuna evaporar:

Sean Quinn

"Não coloque todos os ovos em apenas uma cesta" é a lição mais evidente que aprendemos com a história de Sean Quinn. Uma vez classificado como o 164º homem mais rico do mundo pela *Forbes*, a crise econômica de 2008 foi fatal para a sua fortuna. Sean chegou a acumular mais de 6 bilhões de dólares graças a seu império em mineração, manufatura, mercado imobiliário e seguros. Ele perdeu tudo isso rapidamente depois de ter investido no Anglo Irish Bank. As ações despencaram e quando o banco foi nacionalizado, em 2009, Quinn devia bilhões de dólares à instituição sucessora do Anglo Irish Bank. Anteriormente conhecido como um empresário bem-sucedido desde 1970, ele agora é famoso por ser considerado o maior perdedor individual da crise financeira de 2008.

Bjorgolfur Gudmundsson

Ele era o presidente e ex-proprietário do West Ham United FC, clube de futebol inglês. Ele e seu filho Thor eram as duas pessoas mais ricas da Islândia. Seu patrimônio bilionário foi legalmente reduzido a zero quando seus negócios foram atingidos pela crise de crédito no país. A imprensa local o apontou como um dos responsáveis pelo desastre financeiro na Islândia, por causa de seu envolvimento em atividades ilegais, como fraude e desvio de fundos. Gudmundsson foi declarado pessoalmente falido pelo tribunal islandês, com dívidas de cerca de 760 milhões de dólares.

T. Boone Pickens

Magnata do petróleo e lenda do Texas, T. Boone Pickens perdeu centenas de milhões de dólares tentando diversificar seus negócios. Pickens investiu pesado para aproveitar os subsídios do governo para programas menos nocivos ao meio ambiente e desenvolveu um parque eólico que não foi bem financeiramente. Resultado: Pickens deixou de ser bilionário.

Allen Stanford

O ex-bilionário aprendeu que a distância entre o céu e o inferno pode ser curta. Dono de uma frota de jatos, uma coleção de iates, e uma equipe de críquete profissional, o bilionário do Texas transpirava riqueza. Allen Stanford era presidente da Stanford Financial Group até ser acusado de organizar uma conspiração financeira que roubava dinheiro dos investidores e utilizava estes fundos para manter seu estilo de vida extravagante. Mais de 20 mil pessoas caíram no golpe. Agora, Allen está cumprindo sentença de 110 anos após ser condenado em 6 de março de 2012. Um de seus colegas de cela na cadeia o agrediu deixando-o parcialmente cego.

Alberto Vilar

Este investidor e filantropo cubano-americano era conhecido como patrono da ópera. Em 1979, ele cofundou a empresa de investimento Amerindo com o parceiro Gary Tanaka. Os principais investimentos da Amerindo estavam em fundos de tecnologia e foram afetados severamente pelo *crash* da bolsa em 2001. Ele foi condenado por lavagem de dinheiro, fraude e outras atividades ilícitas. O Ministério Público denunciou que parte do dinheiro roubado de seus clientes foi usado para honrar seus compromissos filantrópicos. Em novembro de 2008 ele foi condenado a nove anos de prisão.

Masayoshi Son

Em 1981, o filho do "Bill Gates do Japão", começou a Softbank, que se tornou a maior empresa de telecomunicações e internet do país. Durante o *boom* das "ponto-com", a Softbank chegou a ser avaliada em 180 bilhões de dólares e o patrimônio líquido de Masayoshi Son era de 78 bilhões de dólares. Durante o *crash* da internet de 2004, as ações da Softbank caíram 98% e Masayoshi Son perdeu a maior fortuna na história. Os preços das ações da Softbank se recuperaram alguns anos mais tarde. Hoje, Masayoshi Son está de volta ao *ranking* dos bilionários, provando que a "saúde financeira" muitas vezes pode ser uma montanha russa.

Olav Thon

Este norueguês é um exemplo raríssimo de bilionário que está feliz por ter saído da lista. Thon chegou a ser o homem mais rico da Noruega, mas o magnata do ramo hoteleiro resolveu doar quase todo seu dinheiro em 2013. Ele passou total controle da empresa que gere seu império imobiliário, Olav Thon Group, valorizada em 6 bilhões de dólares no ano passado, para sua fundação de caridade. Thon ainda controla a empresa por meio de sua fundação, mas os lucros agora deixaram de ir para suas contas. Em vez disso, os lucros são revertidos em investimentos filantrópicos em matemática, ciência e empreendedorismo. Thon deixou 250 mil dólares na sua conta pessoal e, aos 90 anos, passa bem.

J.K. Rowling

J.K. Rowling, autora dos livros *Harry Potter* e primeira escritora no mundo a tornar-se bilionária, também é uma ex-bilionária. As principais razões para ela sair da lista da *Forbes* foram as suas doações filantrópicas, os impostos britânicos e sua filosofia de vida: "Quando te é dado muito mais do que aquilo de que precisa, você tem a reponsabilidade moral de fazer coisas sensatas e de distribuir essa riqueza inteligentemente", disse a ex-bilionária, que fundou sua própria organização de fins não lucrativos, Lumos, e apoia causas principalmente relacionadas a ajudar pais solteiros e crianças da Europa do Leste. A vida não foi um mar de rosas para a agora "apenas" multimilionária autora: ela viveu em Portugal por um período ensinando inglês, foi mãe solteira, teve depressão clínica e até cogitou suicidar-se antes de tornar-se a personagem literária mais célebre do início do século XXI. A série *Harry Potter* já vendeu mais de 450 milhões de cópias e foi traduzida para mais de 70 idiomas. No cinema, as aventuras do jovem bruxo viraram uma das séries mais lucrativas de todos os tempos, com bilheteria de 7 bilhões de dólares.

Estas anedotas sobre evaporação de fortunas me lembram do que a primeira-dama dos Estados Unidos com mais tempo de serviço, Eleonor Roosevelt, certa vez disse: “Pessoas inteligentes aprendem com seus erros. Mas os mais afiados aprendem com os erros dos outros. Você não pode viver tempo suficiente para cometer todos os erros você mesmo”.

Mark Twain, humorista e um dos maiores escritores da história dos Estados Unidos, é o autor da célebre frase: “Eu nunca deixei a escola interferir com minha educação”. Os bilionários entendem que educação é essencial para chegar e se manter no topo e, assim como Twain, sabem a diferença entre diploma e educação. O carioca Flávio Augusto, que não chegou (ainda) a ser bilionário em dólares, mas foi listado como bilionário em reais, ilustra como ninguém a diferença entre ter um diploma e buscar avidamente educação.

PERFIL: FLÁVIO AUGUSTO

"Estude muito, mas não necessariamente pelas vias convencionais; trabalhe muito, mas não necessariamente em um emprego considerado padrão; sonhe muito, mas de preferência acordado; ame muito, mas de preferência leal a uma única pessoa; viaje muito, mas não necessariamente usando drogas ou bêbado; divirta-se muito, mas de preferência em seu projeto. Deu errado? Vai de novo. Deu certo? Vai de novo. Se for esperto e descolado é levar a vida de balada em balada sem construir nada, então seja otário!"

FLÁVIO AUGUSTO

O carioca Flávio Augusto da Silva vendeu o Ometz Grupo – que inclui as escolas de inglês Wise Up e outros negócios – por 1 bilhão de reais para a Abril Educação e tornou-se bilionário "apenas" em reais – ele (ainda) não faz parte da seleta lista dos 1.645 bilionários em dólares que a *Forbes* revelou em 2014. Obcecado por empreender, Flávio fundou a Wise Up, inicialmente uma escola de inglês para adultos que depois se tornou uma rede com centenas de unidades. Sua trajetória desafia o senso comum: ele construiu seu império sem dinheiro, sem diploma universitário e sem falar uma palavra sequer do idioma de Shakespeare.

"Tudo que funciona bem de um jeito pode funcionar melhor de uma nova maneira. Time que está ganhando se muda, sim. Ou você deixaria o Messi no banco? Pense fora da caixinha".

Outro ponto que vale ressaltar sobre a sua história é que Flávio não começou do zero. Assim como Edson Bueno, ele também começou do negativo: para abrir a primeira Wise Up ele fez um empréstimo de 20 mil reais, pagando juros de 144% ao ano.

Flamenguista de origem humilde do oeste do Rio de Janeiro, Flávio realizou o sonho de muitos jovens – e pais de jovens – brasileiros: foi admitido na conceituadíssima e concorridíssima Universidade Federal do Rio de Janeiro (UFRJ). Porém, o rapaz que sempre estudou em escolas públicas e que, como ele diz, "tinha um *network* predominantemente formado por moradores das favelas do Sapo e Cavalo de Aço" rapidamente percebeu que seria melhor abandonar a faculdade. A maioria do seu *entourage* achava a decisão insana. Seus amigos acreditavam que o jovem brilhante merecia algo mais glamouroso e com um futuro mais garantido do que ser vendedor de cursos de inglês. Mas Flávio estava decidido. Ele queria mesmo era ser dono do próprio negócio e acreditava que estaria mais perto desse objetivo trabalhando como vendedor do que estudando para ganhar um diploma de uma conceituada universidade. Flávio afirma:

> "Ouvir o que é agradável aos ouvidos é moleza e qualquer um consegue. Mas a evolução só acontece quando revemos comportamentos, mudamos pontos de vista limitantes e nos atrevemos a questionar com coragem o corriqueiro, juntamente com todos os valores praticados pelas grandes massas. A partir daí, temos alguma chance de nos destacarmos da multidão".

Flávio trabalhou vendendo cursos de inglês durante quatro anos na escola bilíngue Mnemo System, onde se acostumou com um sistema de gestão altamente centrado na meritocracia: além de não ter carteira assinada nem salário fixo, ele sequer tinha ajuda de custo ou um escritório. Mas, Flávio agarrou a oportunidade e pisou fundo no acelerador. Em apenas quatro anos já tinha ganhado sete promoções, ocupava um cargo na diretoria, tinha desenvolvido novas habilidades e morado fora do Brasil. Quem o conhece hoje, mesmo que apenas durante breves minutos, acredita que ele é um vendedor nato. Porém, Flávio admite que antes do emprego na escola bilíngue, era uma pessoa tímida. Foi lá que ele aprendeu sobre o setor de escolas de inglês e desenvolveu um dos talentos mais marcantes para quem interage com ele hoje, seu poder de comunicação. Flávio ressalta a importância de saber vender para brilhar nas arenas dos negócios:

> "Quer empreender e não gosta de vender? Para ter sucesso, procure um sócio que goste de vender. Quer empreender, não gosta de vender e também não tem um sócio que gosta de vender? Não aconselho isso para ninguém".

Quatro anos depois de ter ingressado na escola de inglês, Flávio ganhava um salário de 7 mil dólares por mês – naquela época um salário que o colocava no topo dos 5% dos brasileiros. Mesmo assim, ele pediu demissão para começar seu próprio negócio e fundou a primeira unidade da rede de escolas de inglês da Wise Up, em 1995, no centro do Rio de Janeiro. Trocar o garantido pelo sonho incerto, considerando que Flávio já havia casado e não tinha uma poupança considerável, não seria uma decisão fácil para muitos no lugar dele. Mas, Flávio sabia que tinha que mudar de empregado para empregador para atingir seu potencial. Ele lembra de nunca se acomodar:

"Se um dia você suspeitou de que havia algo errado no mundo, mas com o passar do tempo se acostumou e não se incomoda mais, sinto lhe informar que você passou a ser parte do problema".

O sucesso do empreendimento foi imediato: a primeira escola atendeu mais de mil alunos no primeiro ano. Oito meses depois, Flávio abriu uma segunda escola na Avenida Paulista, artéria principal do coração financeiro da América Latina, onde conquistou 2.500 alunos. Esta segunda unidade, com faturamento de cerca de 500 mil reais por mês, foi essencial para financiar o crescimento das demais 24 escolas; o restante das escolas foi aberto no sistema de franquia.

Inovar constantemente foi o principal fator que garantiu o sucesso da Wise Up em um setor de grande concorrência: enquanto os concorrentes proporcionavam cursos arcaicos com duração de sete anos, a Wise Up oferecia cursos com duração de dezoito meses focados em adultos. Outro grande diferencial da Wise Up sempre foi a estratégia comercial da empresa. Os próprios alunos indicavam novos colegas em troca de descontos na mensalidade ou no preço do material didático.

Ao completar dezoito anos, a Wise Up – juntamente com outros negócios que faziam parte do Ometz Group, como a Wise Up Offshore, destinada ao ensino de inglês nas plataformas de petróleo – foi vendida para a Abril Educação em um negócio de quase 1 bilhão de reais e Flávio se desligou da empresa. Flávio tinha criado uma "filha" muito robusta, com mais de 10 mil funcionários, presente em 5 países e 400 endereços.

Investigando sobre novos bilionários brasileiros, eu conversei com Flávio por telefone por cerca de 90 minutos, tempo de uma partida de futebol. Nosso papo focou em seus planos depois da venda da Wise Up. Ele me disse: "Eu sou um construtor, não um síndico. E vou continuar construindo". O flamenguista me contou sobre seus dois principais projetos: no primeiro tempo da nossa conversa ele elaborou sobre o Orlando City, clube de futebol que comprou nos Estados Unidos. No segundo tempo do nosso papo, ele focou no programa Geração de Valor, pelo qual Flávio comunica-se diretamente com milhões de aspirantes a empreendedores.

Apesar de ter abandonado a faculdade, Flávio leva a educação muito a sério. Ele afirma que não teria tido o mesmo sucesso na Wise Up se não tivesse passado aqueles quatro anos "aprendendo sobre o setor" na escola de inglês Mnemo System. Para alavancar o Orlando City, clube de futebol que comprou nos Estados Unidos, ele foi aprender com os melhores. Após a venda bilionária de seu grupo de educação, ele tirou um ano sabático para viver como nômade de luxo e aproveitou para visitar muitos dos principais clubes de futebol europeus. Quando conversei com ele por telefone, ele estava em Portugal e tinha visitado o Benfica, clube com a maior torcida de Portugal. Flávio quer seguir trabalhando e está disposto a se reinventar para dar certo nesse novo empreendimento:

"Tem gente que gosta mesmo de se iludir. Sucesso sem trabalho, sem riscos, sem romper paradigmas e sem contrariar algumas pessoas simplesmente não existe!"

Flávio me contou por que quis comprar o clube de futebol em Orlando: "Enquanto morava nos Estados Unidos, entre 2009 e 2012, virei motorista do meu filho, já que o levava a vários torneios de futebol". Reparando no número de pessoas envolvidas direta e indiretamente com o *soccer*, ele farejou uma oportunidade e resolveu estudar o mercado a fundo. Contratou a empresa Octagon, uma das líderes globais em marketing esportivo, com mais de 65 escritórios ao redor do planeta, para preparar um estudo com números precisos sobre o mercado, e aprendeu que:

"O futebol nos Estados Unidos já é uma realidade. *Soccer* já é o esporte mais praticado entre as idades de 5 e 17 anos, com mais de 24 milhões de praticantes. A média de público da principal liga de soccer nos Estados Unidos também impressiona, a Major Soccer League (MLS) está entre as sete ligas com maior média de público do mundo. Enquanto no principal campeonato brasileiro, Campeonato Brasileiro Série A, a média de público é de cerca de 12 mil pessoas por jogo, nos Estados Unidos a média é 50% superior, chegando a mais de 18 mil pessoas por jogo".

Flávio ficou impressionado com a importância dos brasileiros para a economia de Orlando, "mais de 1,5 milhões de brasileiros visitam a Flórida a cada ano e são responsáveis por 70% de tudo que se compra nos shoppings e outlets da cidade".

Ele planeja transformar o Orlando City em um clube de referência: "O Orlando City será o segundo clube de coração dos brasileiros". O Orlando City começará a jogar na MLS em 2015. Para entrar no radar de amantes do futebol, Flávio me contou que o Orlando City "vai contratar uma grande estrela brasileira de impacto mundial, alguém como Kaká ou Ronaldinho Gaúcho ou Robinho, que já foram eleitos melhores jogadores do mundo". Isso aconteceu! O Orlando City já anunciou a contratação do meia-atacante Kaká. E também planeja "expandir a academia de futebol de Orlando para o mundo todo com base no sistema de franquias, que é minha especialidade".

Seu plano com o Orlando City segue a mesma fórmula de todos os seus outros empreendimentos: "Comece pequeno, pense grande e expanda o sonho". Quando ele comprou o time, eles jogavam na liga USL PRO, espécie de terceira divisão do futebol dos EUA. Ele conseguiu construir um estádio, contando com ampla ajuda do governo local, e em 2015 vai estrear na MLS, primeira divisão de futebol dos Estados Unidos. Seu objetivo é ganhar o mundial de clubes da FIFA, título que o Corinthians ganhou em 2012. Parece uma meta muito ousada? Eu não duvidaria do carioca que começou a Wise Up do negativo e a transformou em um negócio bilionário. Ele me disse que:

> "Mais dinheiro ou menos dinheiro, não vai fazer a menor diferença para mim. Mas, estou nessa para ganhar. Pode ter certeza!"

Flávio acredita fortemente que vai lucrar no mundo do futebol. Quando eu perguntei para ele se teria feito algo diferente em relação ao Orlando City, ele revelou seu entusiasmo: "se pudesse voltar no tempo, eu gostaria de ter comprado o Orlando City ainda antes".

No segundo tempo da nossa conversa, ele me contou sobre sua outra paixão: empreendedorismo. Em 2011, Flávio criou o Geração de Valor para "compartilhar tudo que aprendi e colaborar com jovens entre 13 e 80 anos de idade que desejam fazer acontecer, mas muitas vezes não sabem o que e como fazer". Milhões de brasileiros têm acesso às ideias de Flávio Augusto transmitidas pelo Geração de Valor, principalmente por meio de vídeos, textos, imagens e posts em mídias sociais. O texto convocando empreendedores a saírem do armário, que fecha o capítulo 2 deste livro, foi publicado no *site* da Geração de Valor. O conselho a seguir também foi postado no Geração de Valor:

"Pense grande. 'Mas, como eu posso medir o tamanho de meus pensamentos?' Bem, se seus amigos não andam dando risada de seus projetos, é muito provável que você esteja pensando pequeno."[8]

---

8. Minha editora não concordava em termos um perfil do Flávio, já que ele não é um dos 1.645 bilionários em dólares. Porém, a sua ode ao empreendedorismo é extremamente poderosa e sua história de vida personifica a diferença entre educação e diploma. Além disso, como você está percebendo ao ler este livro, bilionários gostam de correr riscos. Não sou bilionário, mas se alguém topar, eu aposto que a fortuna de Flávio, mais cedo ou mais tarde, vai ultrapassar a marca de 1 bilhão de dólares. Talvez digam que eu sou tendencioso, mas não tem como não se inspirar com a história deste bilionário em reais.

5

Bilionário Permite-se Fracassar, Sempre Faz Novos Erros, Fracassa Até Acertar, Fracassa Rumo ao Sucesso!

"Falhar não é o resultado. Falhar é não tentar. Não tenha medo de falhar. Eu sinto que o fracasso é a maneira de a vida te cutucar e mostrar que você está fora do curso correto."

A autora desta frase é Sara Blakeley, a mais jovem bilionária empreendedora, criadora da própria fortuna com a Spanx, que comercializa roupas íntimas modeladoras, aquelas em estilo cinta ou bermuda que apertam e ajeitam a silhueta feminina. Spanx virou febre nos Estados Unidos entre as mulheres interessadas em esconder imperfeições, saliências indesejadas e quilinhos a mais. Antes de fundar a Spanx, Sara teve notas baixíssimas no LSAT, espécie de vestibular dos Estados Unidos para entrar no curso de direito.

Uma das minhas principais surpresas quando comecei a cobrir (investigar, ler, escrever, descobrir e revelar) bilionários, foi perceber que é lugar-comum dizer que a maioria absoluta dos ultrarricos falhou no caminho. Fico atônito ao ver que as pessoas se surpreendem quando descobrem que a estrada para os bilhões é invariavelmente cheia de lombadas chamadas erros. O caminho para os bilhões não é como um elevador que não para de subir até chegar ao topo, mas sim como uma montanha tortuosa com altos e baixos, mas que vai, em geral, subindo. Os bilionários que construíram suas próprias fortunas – e que muitas vezes esquecemos que são seres humanos de carne e osso como eu e você – falharam muito até entrarem na seleta lista da *Forbes*, e continuam falhando. Também me surpreendo ao ver e ouvir que muitos acreditam que foi fácil se tornar bilionários graças as suas famílias ou à sorte. Até já ouvi falar sobre teorias da conspiração, de que todos os bilionários se conhecem e de que alguns são testa-de-ferro de políticos. Muitas vezes sorte e famílias ajudam, como alguns bilionários admitem. Mesmo nesses casos, no caminho para o topo, os bilionários cometem, invariavelmente, muitos erros.

Errar é parte da jornada para os bilhões. Bilionários entendem que falhar não é um sinal de incompetência, mas sim uma oportunidade tremenda de aprender. Cada erro deve ser encarado como um degrau na escada para o sucesso. Como disse Malcom Forbes, herdeiro da família Forbes e mentor-mor da lista dos bilionários, “Fracasso é sinônimo de sucesso se aprendermos as lições”.

Paul Tough, que escreve para a *New York Times Magazine* e é autor do livro *How Children Succeed* (em tradução livre, *Como as crianças atingem o sucesso*), reforça a tese da suprema importância do fracasso na jornada para o sucesso. Há uma forte crença em vigor de que o sucesso hoje depende principalmente das habilidades cognitivas: o tipo de inteligência que é medida nos vestibulares e testes de QI, incluindo a capacidade de fazer cálculos complexos rapidamente, detectar padrões e reconhecer letras e palavras. Também acredita-se que a melhor maneira de desenvolver essas habilidades é praticá-las exaustivamente e quanto mais cedo começar, melhor. Paul Tough rema contra a maré e defende que ter caráter é mais crucial do que ter pura inteligência para alcançar o sucesso. Tough sugere que a melhor maneira de desenvolver o caráter é: "Encontrando e superando fracassos que ajudarão a desenvolver habilidades não cognitivas, como persistência, autocontrole, curiosidade, coragem e autoconfiança". O bilionário Richard M. DeVos disse:

> "Se eu tivesse de escolher uma característica, um traço de personalidade que eu considerasse que fosse o mais relacionado ao sucesso, não importa em qual campo, eu escolheria a persistência... A vontade de aguentar até o final, de ser nocauteado 70 vezes mas levantar e dizer: 'aí vem o número 71!'."

Richard M. DeVos é o dono do time de basquete da NBA Orlando Magic, que ele comprou por 85 milhões de dólares em 1991, e foi avaliado em 470 milhões de dólares em 2014.

No jogo da vida, ninguém tem uma partida perfeita, nem mesmo os bilionários! Se você acha que alguém tem uma vida sem nenhum erro, sua percepção está certamente equivocada. Quanto mais rápido você aprender a lidar com seus erros, mais cedo você estará pronto para o sucesso. Erros são bem-vindos, desde que você não continue a repeti-los. Lembre-se da célebre frase de Albert Einstein, que certa vez definiu estupidez como "fazer as mesmas coisas e esperar resultados diferentes".

Algumas pessoas não conseguem lidar com erros, então elas nunca tentam nada novo. O resultado é inércia. A teoria financeira clássica defende que quanto maior o risco, maior a chance de ganhar muito, mas também maior é a chance de perder muito. Conclusão: quer ganhar muito? É preciso arriscar muito! Sem arriscar, fica difícil ter grandes sucessos. David Tepper, bilionário investidor americano, diz: "Eu sou o animal que vai na frente do grupo... Ou serei devorado, ou comerei a melhor grama". O fundador do Facebook, Mark Zuckerberg, disse: "O maior risco é não assumir nenhum risco... Em um mundo que muda muito rapidamente, a única estratégia garantida a falhar é não correr riscos". Mark Cuban, bilionário investidor, proprietário do time de NBA Dallas Mavericks e estrela do programa de TV sobre investidores de capital de risco *Shark Tank,* incentiva todos a flertar com o erro e a assumir grandes riscos: "Não importa quantas vezes você falhou, você só tem de estar certo uma vez. Então todo mundo irá dizer como você é sortudo". Questionado sobre uma experiência essencial que alguém que almeja se tornar um empresário bem-sucedido deve ter, Mark Cuban respondeu: "Chegar em casa e ter as luzes apagadas porque você não tem dinheiro para pagar as contas. É incrivelmente motivador e te transforma em alguém mais humilde".

Se falhar é tão essencial, porque somos tão contrários a essa ideia? Sir. James Dyson, o bilionário que inventou o aspirador de pó sem saco, tenta explicar:

> "Nas escolas, nós não ensinamos crianças a serem criativas. Nós não as ensinamos a experimentar. Nós queremos que as crianças preencham as respostas certas, que elas façam o X na alternativa certa".

Em alguns lugares do mundo, como no Vale do Silício, na Califórnia, faz parte da cultura local cultivar e apreciar aqueles que falharam. Em outros, como no Brasil, muitas vezes as pessoas tentam maquiar o que realmente aconteceu ao invés de estarem orgulhosos de seus fracassos. Como disse Jorge Paulo Lemann em entrevista à Fundação Estudar, "Aqui [no Brasil] não é como a Califórnia, onde quem não fracassa acha que seu currículo é ruim".

Claramente, a fórmula para chegar ao topo inclui, no mínimo, três ingredientes essenciais:

1) Falhar, falhar, falhar.
2) Aprender com seus erros o mais rapidamente possível.
3) Continuar acelerando e fazendo novos erros.

Ainda não está convencido de que esta falha é essencial? Seguem alguns exemplos de pessoas que marcaram o nome na história e, no caminho, falharam diversas vezes.

Henry Ford

Henry Ford foi um visionário que mudou o mundo com suas ideias sobre a produção em massa. Ele não inventou o automóvel, mas por meio de constantes melhorias e após falir duas empresas, transformou o que era um brinquedo para os ricos (um carro no começo do século XX custava o que seria equivalente a mais de 100 mil dólares hoje) em algo que cabia no orçamento de trabalhadores.

O mais ilustre fracasso de Henry Ford foi a Fordlândia, utópica cidade que ele tentou criar na floresta amazônica brasileira para extrair borracha e que acabou sendo um verdadeiro "cemitério de dinheiro". Henry Ford morreu em 1947, 40 anos antes da primeira lista de bilionários da *Forbes* ser realizada. Hoje a Ford Motor Company vale mais de 60 bilhões de dólares.

"Falhar é simplesmente a oportunidade de começar de novo, dessa vez mais inteligentemente".

Henry Ford

Sam Walton

A primeira loja aberta por Sam Walton foi à falência. Walton aprendeu com seus primeiros deslizes e começou uma nova operação em outra cidade. Hoje, a Walmart é a maior varejista do mundo, com 8.600 lojas, 2 milhões de funcionários e mais de 405 bilhões de dólares em vendas. Além disso, seis (!!!) herdeiros da família Walton estão na lista de bilionários.

"Celebre o seu sucesso. Encontre um pouco de humor em seus fracassos. Não se leve tão a sério. Solte-se, e todos ao seu redor vão se soltar. Divirta-se e sempre mostre entusiasmo. Quando tudo mais falhar, coloque uma fantasia e cante uma música boba".

Sam Walton assumiu uma loja de varejo da rede Ben Franklin, no Arkansas, em 1945: "Apesar de toda a minha confiança, eu não tinha a experiência de gestão de um supermercado". Ele poderia ter acrescentado que não tinha experiência de nem um dia de gestão de um negócio de qualquer espécie. Na época, Walton tinha 27 anos, uma esposa e uma criança para cuidar. Suas experiências profissionais como adulto incluíam ter trabalhado no setor de vendas da gigante de varejo J.C. Penney e no Departamento de Comunicação da inteligência do exército americano durante a Segunda Guerra Mundial. Ele colocou 5 mil dólares do próprio bolso e pegou emprestado 20 mil dólares do sogro para assumir aquela loja da Ben Franklin, onde cometeria muitos erros traumáticos.

O primeiro erro foi aceitar um contrato de aluguel com pagamento de 5% das vendas para o dono. Isso pareceu razoável para Walton e ele assinou o contrato de arrendamento. Mais tarde, descobriu que "[este] foi o maior aluguel que alguém já tinha ouvido falar no negócio de vendas de varejo. Ninguém, na época, pagava 5% das vendas!". A sua estratégia-chave era usar preços baixos como vantagem competitiva e este contrato complicava sua missão. Sam Walton levaria cinco anos para descobrir outro problema grave com o contrato de arrendamento.

Apesar da concorrência local, o empreendimento foi um grande sucesso e as vendas mais do que triplicaram em cinco anos. Graças à gestão Walton, o faturamento anual daquela loja saltou de 72 mil dólares para 250 mil dólares e o lucro anual atingiu o patamar de 35 mil dólares (o equivalente a mais de 400 mil dólares hoje). Contudo, devido ao contrato draconiano de arrendamento, Walton foi forçado a repassar aproximadamente 12 mil dólares (equivalente a cerca de 130 mil dólares) ao proprietário do imóvel.

Após cinco anos, a loja Ben Franklin gerida por Walton em Arkansas se tornou a número 1 em toda a região de seis estados da qual fazia parte. Porém, o sucesso atraiu atenção do proprietário do imóvel, que se recusou a renovar o contrato de arrendamento. Não importava quanto Walton oferecesse, o dono do imóvel não estava aberto a negociações. Ele queria expulsar Walton e colocar o seu próprio filho para assumir aquela loja da rede Ben Franklin. Após cinco anos de trabalho duro, Walton foi forçado a passar o ponto e começar tudo do zero em outra localidade. E aprendeu sobre a importância de sempre colocar cláusulas de renovação nos seus contratos de arrendamento.

Aqui estão as palavras do próprio Walton sobre este tombo:

> "Foi o ponto mais baixo da minha vida empresarial. Eu não podia acreditar no que estava acontecendo comigo. Realmente foi um pesadelo... [Mas] eu nunca fui de me debruçar sobre o passado, e eu não fiz isso naquela oportunidade... Eu não fico me lamentando sobre a decepção. O desafio em questão era simples o suficiente para entender: eu tinha que me levantar e ir em frente, fazer tudo de novo, só que ainda melhor desta vez".

Walt Disney

Walt Disney abandonou o colégio para se alistar no exército e ajudar as tropas americanas durante a Primeira Guerra Mundial. Por ter menos de 18 anos, ele foi rejeitado. Então ele falsificou a certidadão de nascimento e partiu para a Europa do mesmo jeito. Chegando lá, a guerra já havia acabado e Disney acabou dirigindo ambulâncias na França.

Depois de dois anos no velho continente, Disney retornou aos Estados Unidos e trabalhou na redação do *Kansas City Star Newspaper*. O homem que marcaria o imaginário coletivo do século XX com animações foi despedido do pequeno jornal, devido a sua suposta "falta de imaginação e ideias originais". Parece surreal e difícil de acreditar, mas diversas fontes confirmam que o homem que marcaria o imaginário coletivo de diversas gerações com suas animações foi demitido por que seu chefe na ocasião acreditava que lhe faltava "imaginação e ideias originais".

Após este fracasso, Walt Disney começou uma pequena empresa chamada Laugh-O-Grams, que faliu depois de um ano. Com a sua mala, 20 dólares no bolso e vários fiascos no currículo, Walt Disney mudou-se para Hollywood para tentar recomeçar do zero.

"Eu acho que é importante ter um bom e grande fracasso quando você é jovem. Aprendi muito com um desses. Porque te deixa meio que consciente do que pode acontecer com você. Por causa disso eu nunca tive qualquer medo em toda a minha vida. Quando nós estávamos perto do colapso e coisas do gênero, eu nunca tive medo. Eu nunca tive a sensação de que eu não poderia partir e conseguir um emprego fazendo alguma coisa".

Walt Disney criou o Mickey Mouse, ganhou 22 Oscars e fundou os parques temáticos Disneyland e Walt Disney World. Hoje, a empresa que leva seu nome, Walt Disney Company, tem um valor de mercado superior a 140 bilhões de dólares .

O dia de lançamento do parque temático Disneyland foi outro grande fracasso na biografia de Walt. O dia que era para ser um grande sucesso ficou conhecido como "Domingo Negro" entre os executivos da Disney. A breve descrição abaixo é uma adaptação de um artigo escrito por Bob Thomas para *Associated Press* um dia após a desastrosa abertura em 17 de julho de 1955:

Por causa de um problema com ingressos falsificados, mais que o dobro do número de convidados apareceu para participar do dia de abertura. Para piorar a situação, cada bilhete do parque tinha um horário determinado de entrada e saída para evitar a superlotação. Mas os convidados que entraram no início do dia não estavam saindo depois de algumas horas, como esperado. Resultado: acabaram-se as bebidas e os alimentos nos restaurantes.

Em decorrência da greve dos bombeiros durante a construção da Disneyland, Walt Disney teve de escolher entre ter banheiros ou bebedouros funcionando no dia da inauguração. Walt escolheu banheiros, o que era provavelmente uma boa escolha. No entanto, a temperatura naquele dia chegou a mais de 38 graus, deixando os visitantes acalorados e com sede. O asfalto das ruas principais literalmente "prendia" o salto alto dos sapatos das mulheres já que ainda estava fumegante, por ter sido colocado na noite anterior. Muitos brinquedos também quebraram no fatídico dia.

Apesar deste grande fracasso inicial, o parque acabou se tornando um dos pontos turísticos mais visitados do planeta. No primeiro ano completo de funcionamento, em julho de 1956, o parque recebeu 3,8 milhões de visitantes; em 1980, 11,5 milhões de pessoas visitaram o parque temático; e em 2013, mais de 17,5 milhões de pessoas conheceram a materialização do sonho de Walt Disney.

"Todas as adversidades que eu tive na minha vida, todos os problemas e obstáculos, me fortaleceram. Talvez você não perceba enquanto esteja acontecendo, mas receber um chute no dente pode ser a melhor coisa do mundo para você".

WALT DISNEY

NICK WOODMAN

Durante a faculdade, Nick Woodman era um aluno com notas medianas e mais apaixonado pelo surfe do que pelos livros. Ele não nasceu em uma família bilionária e, antes de criar a marca de câmeras portáteis GoPro, ele faliu duas empresas de tecnologia durante a bolha pontocom do começo do século XXI.

Primeiro, Nick fundou o EmpowerAll.com, um *site* de *e-commerce* que vendia produtos eletrônicos muito baratos para jovens. A empresa não foi lucrativa e rapidamente fechou as portas. Este fiasco não conduziu o futuro bilionário para fora da arena de negócios. Ao contrário, o motivou a tentar com ainda mais afinco e ele montou a FunBug, uma plataforma de marketing *on-line* que permitia aos usuários a chance de ganhar prêmios em dinheiro e participar em sorteios de brindes, enquanto brincavam de jogos *on-line*. Para alavancar o segundo empreendimento, Nick conseguiu levantar 3,9 milhões de dólares em financiamento de diferentes investidores. A empresa teve um começo empolgante e cresceu rapidamente, mas Nick teve que fechar as portas e admitir que havia fracassado mais uma vez, pois não conseguiu criar uma massa crítica de usuários suficientemente grande que iria lhe permitir lucrar.

Eis o que Nick disse à *Forbes* sobre o fracasso no segundo empreendimento, em que ele perdeu quase 4 milhões de dólares:

> "Ninguém gosta do fracasso, mas o pior foi que eu perdi o dinheiro dos meus investidores, pessoas que acreditavam neste jovem rapaz que era apaixonado por essa ideia... Eu comecei a me questionar: será que minhas ideias são realmente boas?"

Depois de falir a segunda empresa, Nick partiu em uma viagem de cinco meses surfando na Austrália e Indonésia com a namorada Jill, que se tornaria sua esposa. Ao voltar para a Califórnia, o casal vivia em uma Kombi Volkswagen 1971. Sobreviviam vendendo muambas da Ásia, como cintos da Indonésia, para pagar as contas enquanto Nick trabalhava na sua ideia que o tornaria bilionário: um protótipo de uma câmera resistente que poderia ser usada por atletas. Seu objetivo era criar uma câmera que pudesse ser acoplada ao corpo de esportistas e capturar aqueles momentos cheios de adrenalina. Ele pegou empréstimos com familiares para começar o negócio. Depois de dois anos trabalhando no projeto, Nick vendeu suas primeiras 100 câmeras para um distribuidor japonês durante uma feira de esportes radicais em San Diego. Naquele mesmo dia, a sua Kombi Volksvagem foi roubada e nunca foi recuperada.

"Eu estava com tanto medo que a GoPro fosse como a FunBug que eu estava disposto a trabalhar muito. Isso é o que os primeiros altos e baixos fizeram por mim. Eu estava com tanto medo de falhar mais uma vez que eu estava totalmente comprometido com o sucesso".

Só que desta vez, Nick não falhou! O primeiro empregado da GoPro foi seu colega de quarto na faculdade e melhor amigo, Neil Dana. O segundo contribuinte foi sua esposa, Jill. Foxconn, empresa asiática que manufatura iPhones e outros produtos, já investiu 200 milhões de dólares na empresa. GoPro fez de Nick um dos bilionários mais jovens do mundo e o principal acionista de uma das empresas de mais rápido crescimento da América.

Bill Gates

Antes de se tornar a pessoa mais rica do mundo, Bill Gates e seu amigo também bilionário, Paul Allen, faliram uma empresa chamada Traf-O-Data. Os dois, que se conheceram na Lakeside High School, de Seattle, projetaram um microprocessador computadorizado que iria analisar dados de trânsito a partir dos contadores de borracha que são colocados em estradas e enviariam relatórios para os engenheiros de trânsito. A ideia era otimizar o trânsito e terminar com congestionamentos nas rodovias. Objetivo nobre, mas que não funcionou por vários motivos. Um deles: no dia de apresentação aos oficias, a máquina que eles haviam inventado simplesmente falhou. A ideia rapidamente tornou-se obsoleta quando o estado de Washington ofereceu um serviço similar de graça. Contudo, Gates e Allen usaram as valiosas lições aprendidas neste fracasso para fundar outra pequena empresa tecnológica chamada Microsoft. Em 2011, Paul Allen disse:

"Desde então, eu errei muito nos negócios, mas Traf-O-Data permanece meu erro favorito porque me confirmou que cada fracasso contém as sementes do seu próximo sucesso. Ele reforçou a minha convicção de que os microprocessadores em breve iriam executar os mesmos programas que computadores maiores, mas com um custo muito mais baixo".

A primeira ideia que um empreendedor tem raramente é a sua melhor. O único motivo pelo qual ainda ouvimos falar da Traf-O-Data é porque a empresa foi criada pelo homem mais rico do mundo e seu sócio-amigo-tubarão. Felizmente, para eles e para o mundo, Gates e Allen não desistiram de ser empreendedores e, juntos, criaram uma das empresas de maior sucesso da história. Hoje a Microsoft vale mais de 350 bilhões de dólares e a fortuna pessoal combinada de Allen e Gates foi estipulada em 91,9 bilhões de dólares na lista da *Forbes* de 2014.

"Está tudo bem em comemorar o sucesso, mas é mais importante prestar atenção às lições do fracasso".

BILL GATES

Bill Gates

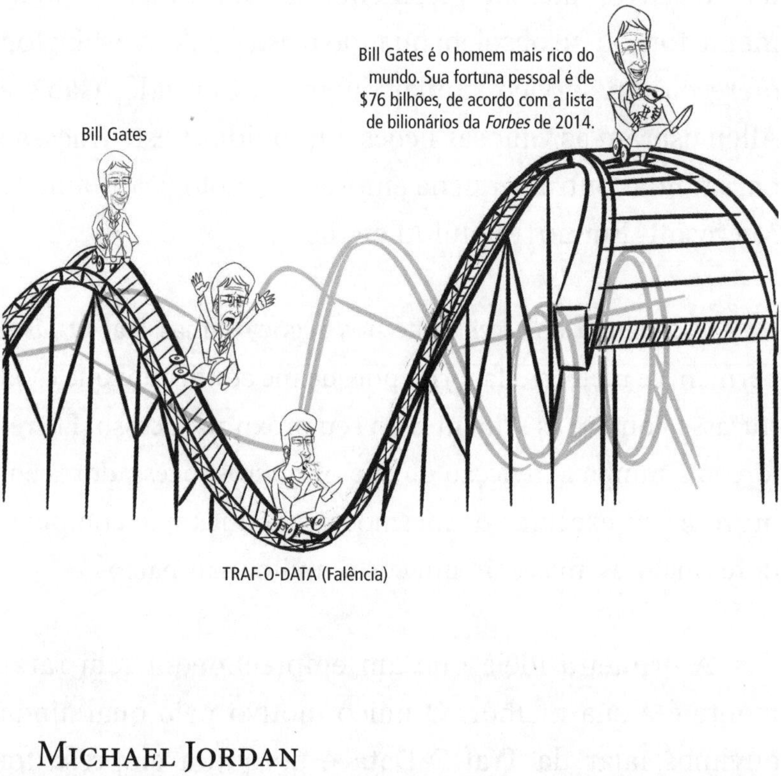

MICHAEL JORDAN

Considerado por muitos como o melhor jogador da história do basquete, Michael Jordan disse:

"Eu errei mais de 9.000 arremessos na minha carreira. Perdi quase 300 jogos. Em 26 vezes, confiaram em mim pra fazer a cesta da vitória, e eu errei. Eu falhei uma vez, de novo, e outra vez na minha vida. E é por isso que eu obtive sucesso".

Apesar de todos estes erros, Air Jordan foi seis vezes campeão da NBA e eleito melhor jogador em cinco oportunidades. Em 2014, Michael Jordan tornou-se bilionário. O único atleta a ter feito parte da lista de bilionários antes de Michael Jordan foi Tiger Woods, que em setembro de 2009 foi considerado bilionário pela *Forbes*.

Thomas Edison

Uma professora disse ao jovem Thomas Edison que ele era demasiado estúpido para aprender qualquer coisa e deveria tentar a sorte em alguma carreira em que ele pudesse ter sucesso graças a sua personalidade. Thomas Edison tornou-se um dos mais celebrados inventores da história: ele criou a caneta elétrica, popularizou a lâmpada elétrica e registrou mais de 1.090 patentes em seu nome. Thomas Edison foi o autor da frase que resume como bilionários encaram fracassos:

"Eu não falhei. Encontrei 10 mil soluções que não funcionaram".

Em 1917, B. C. Forbes, fundador da revista *Forbes*, entrevistou Thomas Edison, que lhe contou:

"Eu nunca me deixo desanimar. Em hipótese alguma. Lembro-me que um dos meus colegas, depois de termos realizado o experimento-chave que se provou ser um fracasso, expressou desânimo e desgosto sobre termos falhado "em descobrir qualquer coisa". Eu alegremente lhe assegurei que tínhamos aprendido alguma coisa. Tínhamos aprendido com certeza que a coisa não poderia ser feita daquela maneira, e que nós teríamos que tentar de alguma outra forma. Nós, às vezes, aprendemos muito com os nossos fracassos".

THOMAS EDISON

Normalmente, julgamos as pessoas pelos seus resultados, talvez essa deva ser uma das razões pelas quais temos tanto medo de falhar. Qual seria sua opinião sobre o seguinte currículo?

- 22 anos: faliu uma empresa.
- 23 anos: foi derrotado em eleições para a legislatura.
- 24 anos: faliu outra empresa.
- 25 anos: foi eleito para a legislatura.
- 26 anos: sua noiva morreu.
- 27 anos: teve uma crise nervosa.
- 29 anos: foi derrotado para ser o presidente da Câmara de Illinois.
- 34 anos: foi derrotado para o Congresso.
- 39 anos: foi derrotado para o Congresso.
- 46 anos: foi derrotado para o Senado.
- 47 anos: foi derrotado para ser o vice-presidente.
- 49 anos: foi derrotado para o Senado novamente.

Este homem viu a noiva morrer, faliu dois negócios, teve várias crises nervosas e foi derrotado em diversas eleições. Se isso não fosse suficiente, sua mãe faleceu quando ele tinha 8 anos, seu pai quando ele tinha 10 anos e ele foi assassinado violentamente aos 56 anos. Contudo, Abraham Lincoln é considerado um dos melhores presidentes da história dos Estados Unidos, um grande vencedor, apesar de todas suas derrotas. As palavras de Winston Churchill, ex-primeiro ministro do Reino Unido e um dos homens mais importantes – e em minha opinião fascinantes – do século XX, poderiam servir bem como o epitáfio para Abraham Lincoln:

"O sucesso é ir de fracasso em fracasso sem perder o entusiasmo".

A seguir o que os próprios bilionários falam sobre a importância do fracasso na estrada para o sucesso:

"Somente aqueles que estão dormindo não cometem erros".

INGVAR KAMPRAD

(Fundador sueco da Ikea, multinacional de móveis e decoração conhecida pelo design arrojado e preços baixos.

"Por que eu falo sobre os benefícios do fracasso? Simplesmente porque o fracasso significou um despojamento do não essencial. Eu parei de fingir para mim mesma ser algo além do que eu era, e comecei a direcionar toda a minha energia em terminar o único trabalho que importava para mim. Se eu tivesse realmente tido sucesso em qualquer outra coisa, eu poderia nunca ter encontrado a determinação para ter sucesso na área em que eu acreditava que realmente pertencia. Fui posta em liberdade porque o meu maior medo tinha sido realizado e eu ainda estava viva, e eu ainda tinha uma filha que adorava, e eu tinha uma máquina de escrever antiga e uma grande ideia. E assim o fundo do poço se tornou a base sólida sobre a qual eu reconstruí minha vida".

J. K. Rowling

(Em uma palestra na Universidade de Harvard em 2008. A autora da série de livros Harry Potter é a única escritora a se tornar bilionária. Ela era uma pobre mãe solteira e viu o livro do Harry Potter ser rejeitado diversas vezes por ser "demasiado grande para um livro de crianças".)

"A jornada de ninguém é perfeita ou suave. Todos nós tropeçamos. Todos nós temos contratempos. É a maneira da vida te dizer que é hora de mudar de rumo".

Oprah Winfrey

(A mais rica afro-americana e fundadora do canal de TV a cabo Oprah Winfrey Networks. Seu sonho era ser âncora de um programa de notícias, mas foi recusada por se envolver emocionalmente com as histórias. Acabou recebendo um convite para ser âncora de um programa durante o dia. O resto é história.)

"A arte de vencer aprende-se nas derrotas".

Abílio Diniz

(Bilionário brasileiro fundador do Grupo Pão de Açúcar, revela que esta é uma das suas frases favoritas).

"Sucesso está ligado à ação. Pessoas de sucesso estão sempre se mexendo. Eles cometem erros, mas não desistem".

CONRAD HILTON

(Fundador da rede de hotéis Hilton.)

"Medo de falhar nunca pode ser a desculpa para não fazer algo".

FREDERICK W. SMITH

(Fundador do FedEx, a maior empresa de entrega expressa de correspondências, documentos e objetos do mundo. Smith planejou o seu negócio enquanto fazia um trabalho para uma aula de economia na renomadíssima Universidade de Yale. Reza a lenda que Smith levou uma nota C pelo trabalho. Mesmo que seu professor tenha achado a ideia impraticável, Smith transformou a FedEx em uma das maiores empresas do mundo.)

"Minha mãe me disse que o fracasso não é o oposto de sucesso; é um trampolim para o sucesso. Você vai falhar, provavelmente muitas vezes. Mas isso é bom – na verdade, é essencial. Muitas vezes, a diferença entre o sucesso e o fracasso é simplesmente a perseverança. Se nos tornarmos tão dependentes de tudo sempre ser um sucesso, então nós estamos em uma posição muito vulnerável – porque não estamos no controle de como o mundo vai receber alguma coisa".

ARIANNA HUFFINGTON

(Fundadora do Huffington Post, que não é bilionária – ainda –, mas foi eleita a 56ª mulher mais poderosa do mundo.)

Entrevistei o ex-presidente do Corinthians, Andrés Sanchez, que me contou que a queda do time para a série B, encarada na época como fracasso e humilhação, foi fundamental para o clube com mais de 30 milhões de torcedores se estruturar e apenas 5 anos depois conquistar os mais importantes títulos de sua história. No dia 2 de dezembro de 2007, o Corinthians empatou contra o Grêmio e foi rebaixado para série B do Brasileirão. Corintianos choraram copiosamente por viver o ponto mais baixo da história do clube fundado em 1910. O fracasso traumático serviu para promover mudanças estruturais na organização do time. O Corinthians desligou-se da empresa de marketing esportivo MSI, mergulhada em escândalos de corrupção e lavagem de dinheiro, além de problemas com a Polícia Federal, para colocar a casa em ordem. Em 2012, o Corinthians conquistou, de forma invicta, o título mais aguardado da sua história: a Copa Libertadores da América. No dia 16 de dezembro do mesmo ano, cerca de 5 anos depois do doloroso, mas essencial, rebaixamento, veio a pomposa cereja no topo do bolo: o gol do atacante Guerrero contra o Chelsea e o título de campeão mundial de clubes da Fifa. Apenas cinco anos depois de passar pelo ponto mais baixo da sua centenária história, o Corinthians conquistou o maior título de sua história e tornou-se o único clube de fora da Europa a fazer parte da lista dos 20 clubes mais valiosos da *Forbes*.

Napoleon Hill, que pesquisou a vida de empresários de sucesso durante 25 anos antes de escrever o *best-seller* *Pense e Enriqueça,* publicado em 1938 e que já vendeu mais de 30 milhões de cópias, afirma: "Mais de quinhentos dos homens mais bem-sucedidos financeiramente dos Estados Unidos me contaram que alcançaram seu maior sucesso apenas um passo depois do seu maior fracasso".

E aí, você já falhou hoje?

O príncipe da internet brasileira, Romero Rodrigues, escreveu uma ode ao fracasso. Se este capítulo mal traçado por mim não lhe convencer a permitir-se fracassar mais frequentemente, espero que o apelo de Romero Rodrigues o convença a fracassar rumo ao sucesso.

Carta aberta de Romero Rodrigues, fundador e CEO do Buscapé Company

Descrição da *Forbes Brasil* sobre o (ainda) não bilionário:

A internet é formada basicamente por cinco tipos de empreendedores: aqueles que têm uma ideia ruim; aqueles que têm uma ideia boa, mas desacompanhada de um plano de negócios; os que conseguem combinar uma ideia inovadora a um modelo rentável; o grupo que, na ânsia de ficar milionário, vende precocemente o controle da empresa após seu primeiro sucesso; e Romero Rodrigues. Moreno, com visual despojado e jeitão desencanado, este paulistano de 34 anos conseguiu transformar o site *comparador de preços Buscapé, uma ideia que foi colocada em operação com apenas 100 reais, em um dos negócios mais bem-sucedidos da internet brasileira. O Buscapé Company transformou-se em um império internético composto por 25 empresas, 17 delas fruto de aquisições, e rival de gigantes globais, como Google, eBay e Amazon. Em 2009, a empresa foi avaliada em*

373 milhões de dólares e teve 91% de suas ações vendidas para o conglomerado de mídia sul-africano Naspers, o mesmo que detém 30% da Editora Abril.

Segue a ode ao fracasso de Romero Rodrigues:

Meus parabéns, você fracassou. Sem ironias, é exatamente isso que eu quero dizer. Se a sua ideia não vingou, mesmo com criatividade, originalidade, ineditismo e várias outras características positivas, parabéns. Essa experiência mostra que você experimentou e resolveu testar um caminho novo. Você saiu do modo de segurança que travava suas ideias para mergulhar no mundo da inovação. Resumindo: você aprendeu. Como não te dar os parabéns?

No Brasil, o fracasso é uma palavra pesada, pois representa incapacidade, incompetência, amadorismo. É uma frase pesada: "Fulano fracassou". Isso gera medo e, quando você tem medo de tentar algo, pois não quer fracassar, você entra num estado defensivo. Você deixa de pensar no estratégico e passa a pensar só no tático, e o tático é o instinto de sobrevivência, o agora em detrimento do futuro. Conclusão: você não inova, não experimenta, não descobre novas oportunidades.

Nos Estados Unidos, por exemplo, é muito comum compartilhar os fracassos com os outros. As pessoas contam os fracassos como se fossem glórias. E de fato são – afinal, eles arriscaram e tentaram. Por isso, é muito importante que as empresas criem um espaço para que as pessoas possam testar e falhar. Não adianta tirar conclusões, realizar estudos variados se vocês, de fato, não tentarem na prática.

Já falei em uma entrevista para a revista Exame *sobre a "cultura do fracasso", que é algo que fazemos dentro do Buscapé. Sempre tento provocar essas experiências com meus colaboradores. Uma vez, pedi para um gerente de produto: "Quero que o botão de compra fique piscando na tela, em vermelho". Ele achou um absurdo, não concordou, não era a linguagem do Buscapé. A única coisa que pedi para ele foi: "Prove que estou errado". A gente consegue medir se o botão vai ajudar a vender mais ou se vai ser um total fracasso e fazer a gente perder vendas. Mas, a ideia de testar precisa vir de alguém. Em um negócio como o Buscapé, no qual o processo é 100% intelectual, você precisa inovar para crescer. E para inovar, é preciso estar disposto a fracassar.*

Nós, empreendedores e gestores, é que precisamos entender que esse colaborador é que precisa ser valorizado e incentivado, e não aquele que fica estático por causa do medo de errar. Precisamos entender que a dor de fazer uma decisão ruim nunca deve ser maior do que o prazer de tomar uma boa escolha. Precisamos cultivar a "cultura do fracasso".

Para dar tranquilidade para seu time arriscar, é preciso criar um ambiente propício a isso. Desde a cultura corporativa até os controles e medições são cruciais para isso. São esses controles que serão usados para a medição do resultado e para mitigar que o fracasso cause um grande prejuízo.

Essa é a grande dica, não só para gestores, mas também para quem está prestes a começar um negócio novo, mas ainda está inseguro de se lançar. É natural que isso aconteça. Nesse momento, passam pela cabeça diversas preocupações e infinitas possibilidades para uma tragédia mercadológica. E por consequência vem o pavor com as incertezas do futuro e você vai pendendo cada vez mais para o lado da segurança.

Por isso, permita-se fracassar. Fracasse até acertar. Fracasse rumo ao sucesso!

6

Bilionário é sensível à filantropia

"Filantropia não é caridade. Caridade é só assinar cheques. Filantropia é um investimento que você quer ver um retorno, quer se trate de avanços em pesquisas científicas ou de desempenho na educação ou atrair o público para as artes. Você quer ver resultados".

Eli Broad

Nada ilustra melhor o comprometimento de bilionários com filantropia do que a "promessa de doação" (do inglês, *giving pledge*) que é um pacto entre bilionários para doar mais de 50% das suas fortunas para ações filantrópicas de sua própria escolha antes de sua morte ou após morrerem, deixando essa "promessa de doação" clara nos seus testamentos. O homem mais rico do mundo, Bill Gates, junto com sua esposa, Melinda Gates, e o segundo mais rico, Warren Buffett, criaram essa brilhante iniciativa em junho de 2010 e, quatro anos depois, 127 bilionários de 12 países já haviam assinado. O mais jovem bilionário a assinar tem 29 anos e o mais velho, 98 anos.

Nenhum dos 66 brasileiros bilionários aderiram à causa (ainda). Warren Buffett e Bill Gates frequentemente fazem reuniões com bilionários ao redor do mundo para convencê-los a participar da "promessa de doação". Acredito que há grandes chances de que o homem mais rico do Brasil, Jorge Paulo Lemann, e seus dois sócios bilionários, Marcel Telles e "Beto" Sicupira, sejam os primeiros brasileiros a aderirem à causa. Este trio de bilionários brasileiros uniu-se a Warren Buffett para comprar a Heinz Ketchup por mais de 23 bilhões de dólares e, na reunião anual de sua empresa, Buffett elogiou a 3G (empresa dos três brasileiros) efusivamente: "Nós [sua empresa de investimentos, Berkshire Hathawa] somos muito propensos à parceria com a 3G, talvez em algumas coisas muito grandes". No mercado, especula-se que Lemann e Buffett vão se unir para assumir o controle da Coca-Cola. Eu especulo que Lemann será o primeiro brasileiro a assinar a "promessa de doação".

Amador Aguiar, fundador do Banco Bradesco e um dos mais importantes empresários do Brasil no século XX, também foi um grande filantropo. Ele deixou a maior parte de sua fortuna para a Fundação Bradesco, que ele mesmo criou em 1956 e que, apenas nos últimos 10 anos, já aplicou mais de 4 bilhões de reais em educação – suas escolas beneficiaram mais de 101 mil alunos apenas em 2013. A vida de Aguiar foi bem conturbada: nasceu pobre, tinha 12 irmãos e seu pai alcoólatra mantinha muitas amantes e o espancava com frequência.

Apesar das adversidades, seguindo seu lema pessoal, "Só o trabalho pode produzir riqueza", que ainda hoje está gravado nas paredes da sede principal do Bradesco, Aguiar fundou um dos maiores bancos do Brasil, que hoje emprega mais de 100 mil pessoas. Aguiar também adotou três filhas, que enriqueceram não graças ao seu trabalho, mas sim pela herança do pai. Quatro meses antes de morrer, Aguiar casou-se com sua secretária, Cleide, 40 anos mais nova do que ele. Após a morte de Aguiar, diversos processos entre Cleide e as três filhas adotivas do magnata viraram manchetes nos principais jornais do Brasil. Cleide não virou bilionária, mas ganhou alguns milhões. Em 2014, *Forbes* estimou que a fortuna das três filhas adotivas chegavam ao total de 4,5 bilhões de dólares.

Filantropia não é o mesmo que caridade. Embora alguns usem, erroneamente, os dois termos como sinônimos, caridade seria como "dar o peixe" e filantropia "ensinar a pescar". A melhor explicação é a frase que abre este capítulo e que foi dita por Eli Broad, bilionário norte-americano que já doou mais de 3,5 bilhões de dólares e é dono de uma coleção de obras de arte avaliada em mais de 2 bilhões de dólares.

Em 2012, a Forbes organizou uma conferência sobre filantropia, que reuniu 161 bilionários na biblioteca pública de Nova York. Além de óbvios interesses relacionados a incentivos fiscais e boa imagem pública, os bilionários parecem também ter um imperativo moral que os move a ajudar o próximo. David Rubenstein, multibilionário que fez sua fortuna no mercado financeiro, elucidou:

"A antiga palavra '*philan*', inventada pelos gregos e que origina o termo filantropia, não tinha nada a ver com doar dinheiro. Filantropia significa amor à humanidade, o amor às pessoas. Para os gregos antigos, significava dar o seu tempo ou a sua energia e seu dinheiro. Não é todo mundo que tem a capacidade de estar na lista de bilionários da *Forbes* e doar grandes somas de dinheiro. A maioria das pessoas nos Estados Unidos realmente só tem a capacidade de doar seu tempo e sua energia e suas ideias – algum dinheiro, mas nem de longe o tipo de dinheiro de que estamos falando aqui [nesta conferência]".

Os bilionários discutiram sobre diversos tópicos, incluindo:

- Como aproveitar a fama para uma causa do bem.
- Com grandes fortunas vêm grandes responsabilidades.
- Invista em mulheres e mude o mundo.
- Por que doar tudo.

Além disso, debateram também sobre qual a melhor maneira de educar seus filhos e como maximizar os investimentos em filantropia.

A conferência terminou com um incrível dueto entre Warren Buffett e Jon Bon Jovi cantando *Glory of Love*, canção que ficou marcada na versão do *King of Cool*, Dean Martin. O multibilionário tocou ukelele, espécie de cavaquinho do Havaí, e cantou com Bon Jovi a canção que começa com a seguinte frase: "You have to give a little..."

Vale a pena conferir o vídeo *on-line*.[9] Bon Jovi também é um ativista e sabe usar sua fama para alavancar causas sociais, como a Soul Kitchen (em tradução livre, Cozinha da Alma), ONG que serviu mais de 10 mil refeições a pessoas necessitadas em apenas 1 ano.

Em 2013, a conferência da *Forbes* sobre filantropia aconteceu na sede da Organização das Nações Unidas (ONU), em Nova York, no prédio projetado por Oscar Niemeyer, e reuniu mais de 110 bilionários e alguns formadores de opinião, como Ban Ki-moon, secretário-geral das Nações Unidas; Ellen Johnson Sirleaf, presidente da Libéria e ganhador do prêmio Nobel da Paz; Muhammad Yunus, ganhador do prêmio Nobel da Paz; e outras celebridades, como Bono, cantor da banda irlandesa U2.

Eu fiquei surpreso ao aprender que Bono é um artista realmente engajado em melhorar o mundo via filantropia. Eu, de maneira provavelmente preconceituosa e com certeza ignorante, acreditava que grande parte do interesse de Bono em ajudar os mais pobres do mundo estava mais relacionado em melhorar sua imagem do que realmente em salvar vidas. Bill Gates abriu os meus olhos quando disse:

"Eu tenho que admitir que encontrar com o Bono não era uma de minhas prioridades, [mas quando nos encontramos] eu fiquei espantado que ele realmente sabia do que estava

---

9 Vídeo disponível em: <https://www.youtube.com/watch?v=nCm5-2UN2Ms>. Acessado em outubro de 2014.

falando e tinha um comprometimento real em fazer as coisas acontecerem. Foi fenomenal. Desde então, temos sido grandes parceiros no crime".

Bono é um dos artistas mais politicamente ativos da história e atua em várias frentes filantrópicas, geralmente focando em ajudar aqueles que estão em situação de miséria absoluta. Bono explicou sua metodologia para engajar em filantropia: "Eu aprendi a ser um ativista baseado em evidências. Descubra o que funciona. Descubra o que não funciona. Repita o que funciona. Pare o que não funciona". Quando você doa tempo e/ou dinheiro para causas não lucrativas, você mensura e decide qual causa ajudar baseado em evidências? Ou você decide qual causa apoiar baseado em algum carinho especial pelas pessoas que tocam o projeto ou pelo problema que estão tentando solucionar?

Aliás, Bono encontrou-se com o ex-presidente Lula em Londres, em 2013, e lhe sugeriu "liderar uma cruzada internacional para transformar o Bolsa Família num programa planetário, que atenda a todos os pobres do mundo". Lula gostou da ideia e respondeu ser possível realizar o Bolsa Família global se houver interesse dos países mais ricos. Alguém traduziu para o inglês a resposta do ex-presidente do Brasil:

"Some os 9,5 trilhões de dólares gastos para salvar bancos norte-americanos e europeus depois da crise de 2008, mais os 1,7 trilhões de dólares despejados pelos EUA na guerra do Iraque,

e você terá mais de 11 trilhões de dólares. Isso significa que os recursos jogados na farra dos bancos e na invasão do Iraque seriam suficientes para montar um mega-programa Bolsa Família que atenderia a todos os pobres do mundo durante 150 anos".

Não acredito que um Bolsa Família global saia do papel. Mas é possível praticar filantropia com impacto e escala global. Mohammed Yunus, ganhador do prêmio Nobel da Paz, afirmou que: "Ganhar dinheiro é uma felicidade. Mas fazer outras pessoas felizes é uma superfelicidade". Yunus, filho de camponeses de Bangladesh, quer ajudar necessitados a se ajudarem. Ele fundou o Grameen Bank, que começou dando empréstimos a mulheres pobres que não tinham crédito em nenhum outro lugar em Bangladesh e hoje é uma prática reproduzida nos quatro cantos do mundo. Yunus foi ovacionado pelos bilionários ao contar sua história:

"Eu empresto dinheiro para mulheres pobres! Eu faço empréstimo de 30 dólares. E quando a mulher segura este dinheiro, ela treme. Ela não pode acreditar que alguém confiou tamanha quantia em sua mão. Não só ela nunca segurou essa quantidade de dinheiro nas próprias mãos como ela nunca viu tanto dinheiro na sua vida. E as lágrimas rolam pelos seus olhos, não acreditando que isso seja verdade. Então ela começa a sentir que, se alguém lhe confia esta quantidade enorme de dinheiro, 30 ou 35 dólares, ela vai dar a sua vida para se certificar de que esta confiança é mantida".

O homem mais rico do mundo já doou mais de 28 bilhões de dólares a causas filantrópicas. Desde 2008, Bill Gates trabalha em tempo integral na instituição filantrópica que leva o seu nome junto com o nome de sua mulher, Fundação Bill e Melinda Gates, e que emprega 1.194 pessoas e gere mais de 40 bilhões de dólares. Para ter maior impacto, a Fundação Bill e Melinda Gates concentra seus esforços em lutar contra três principais problemas: nos países em desenvolvimento, focam em pobreza extrema e problemas de saúde, enquanto nos Estados Unidos o foco é corrigir falhas do sistema de ensino. O segundo norte-americano mais rico do mundo, Warren Buffett, prometeu doar 99% da sua fortuna, que chegou a ser estimada em mais de 60 bilhões de dólares em 2014. Impressionado pela eficácia da instituição de Gates, Buffett prometeu doar 30 bilhões de dólares para a Fundação Bill e Melinda Gates.

Em 2014, a terceira conferência anual sobre filantropia organizada pela *Forbes* voltou a ser na New York Public Library, onde bilionários e líderes políticos e sociais se reuniram para discutir melhores métodos para praticar filantropia e como melhorar a educação. O homenageado da noite foi Chuck Feeney, que doou mais de 7,5 bilhões de dólares nos últimos 30 anos. Apesar de Buffett e o casal mais rico do mundo serem os idealizadores da "promessa de doação" e terem doado quantias extraordinárias, Feeney é o meu bilionário filantropo favorito. O americano Feeney lutou na guerra das Coreias e cresceu em uma família simples, filho de uma enfermeira. Ele ganhou seus bilhões sendo sócio de uma das principais lojas de *duty free shop* (DFS) do mundo – aquelas que vemos em aeroportos, onde os preços não têm impostos. Suas lojas DFS chegaram a ser o maior ponto de venda de cigarros, álcool e perfume do mundo. Mas, o que mais me impressiona na sua trajetória é o seu *approach* para a filantropia. As causas para as quais ele doa variam em tamanho e localização geográfica. Ele já doou 250 mil dólares para a reconstrução do Haiti após o terremoto catastrófico e 290 milhões de dólares para construir um novo *campus* de medicina para a Universidade da Califórnia, em São Francisco. Feeney também fez doações em diversos países, como Irlanda, Vietnã, Austrália, Bermudas, África do Sul e Estados Unidos. Conhecido como James Bond da filantropia, realizando suas missões sem ser identificado, Feeney começou a doar em 1984 e nos primeiros 15 anos esforçava-se em fazer doações anônimas; caso a entidade descobrisse que foi ele quem doou, ele pedia para jamais levar esta informação ao público. O agente secreto do bem não queria ser descoberto de maneira nenhuma. Em 1997, Feeney ficou conhecido pelo público ao vender suas ações da DFS para o conglomerado LMVH, do bilionário francês Arnault, que também controla as marcas Louis Vuitton, Dior, Bulgari, Sephora, Veuve Cliquot e outras. Ficou mais difícil esconder suas ações filantrópicas e Feeney encarou o dilema de anunciar suas doações para atrair atenção para causas importantes e ajudar a angariar mais fundos. Ele resolveu continuar doando no anonimato a maior parte do tempo. Feeney sempre manteve um estilo de vida simples; não tem nenhum carro e nenhuma casa e afirma nunca ter pagado mais do que 15 dólares por um relógio. Sua missão parece ser falir. Como? Doando todo o dinheiro que ganhou. Ele resumiu sua motivação para o repórter da *Forbes* e meu amigo Steve Bertoni: "Eu acho que eu fico feliz quando estou ajudando outras pessoas, e infeliz quando não estou".

Meu bilionário favorito

Chuck Feeney doou mais de $7,5 bilhões para causas filantrópicas.

Os bilionários presentes na conferência têm um objetivo em comum: acabar com a miséria ainda nesta geração. Essa meta pode ser alcançada, de acordo com um dos acadêmicos mais renomados do mundo, Jeffrey Sachs, que foi considerado pela revista *Time* uma das 100 pessoas mais influentes do mundo duas vezes; *The New York Times* se referiu a ele como "provavelmente o economista mais importante do mundo". Quando alguém com estas credenciais fala, eu acho boa ideia prestar muita atenção. Em 2005, o renomadíssimo professor de Harvard escreveu a obra *O Fim da Pobreza*. A tese central da obra é de que poderemos, ainda nesta geração, finalmente erradicar a pobreza extrema. Eu espero que Sachs, que também ficou famoso por armar o plano que parou com a hiperinflação na Bolívia, esteja certo e que em breve não haja mais miséria no mundo. O mundo está melhorando, mas ainda está longe do ideal. De acordo com dados do Banco Mundial, em países em desenvolvimento, a proporção de famílias abaixo da linha de extrema pobreza (agora medida como 1,25 dólar por pessoa por dia) vem diminuindo acentuadamente: de 52% em 1980, para 43% em 1990, 34% em 1999, e 21% em 2010. De acordo com estudo da Unicef, a taxa de mortalidade de crianças menores de 5 anos na África caiu de 177 mortes por 1.000 nascimentos em 1990, para 155 por 1.000 nascimentos em 2000, e para 98 por 1.000 em 2012. São números ainda muito tristes, mas a taxa de progresso é rápida e segue acelerando. Se você duvida que o mundo está melhor do que jamais foi, vale a pena conferir a carta aberta anual do homem mais rico do mundo. Bill Gates prova em detalhes que o mundo está e continuará, com certeza, melhorando. Aliás, esta carta deveria ser leitura obrigatória para crianças de 5 a 125 anos.

Oito anos após a publicação do livro de Sachs, em abril de 2013, o comitê de desenvolvimento do Banco Mundial estabeleceu o objetivo de terminar com a pobreza extrema até 2030. Para atingir este louvável objetivo, será mais fácil se todos, não só os bilionários, colaborarmos de alguma maneira. Bill e Melinda afirmam que foi um artigo que eles leram no jornal que marcou o começo da Fundação Bill e Melinda. O título do artigo era "Para o terceiro mundo, água ainda é um drinque mortal". Esta passagem me faz pensar em quão nobre é a profissão de jornalista, o privilégio de viver contando histórias, afetando vidas e atingindo um público tão amplo – e também me faz refletir sobre a importância de trabalhar em pautas relevantes.

Em uma palestra na Universidade de Harvard, Bill Gates disse:

"Minha mãe, que estava cheia de orgulho no dia em que fui aceito aqui [em Harvard], nunca deixou de me pressionar a fazer mais para os outros. Poucos dias antes do meu casamento, ela organizou uma festa nupcial, onde leu em voz alta uma carta sobre casamento que ela tinha escrito para Melinda. Minha mãe estava muito doente, com câncer, mas ela viu mais uma oportunidade de entregar sua mensagem, e no final da carta, ela disse: 'Daqueles a quem muito é dado, muito é esperado.'"

Terminar com a miséria é um sonho grande com o qual – não só bilionários – podemos colaborar. Assim como a mãe de Gates, você incentiva seus filhos – e sobrinhos e vizinhos – a se lembrar de ajudar o próximo?

Não são necessários bolsos profundos para se tornar um(a) filantropista. É fácil participar em campanhas filantrópicas de impacto. Basta começar uma campanha *on-line* para levantar fundos para uma instituição sem fins lucrativos ou apoiar empreendedores ao redor do mundo que precisam de empréstimos. Um artigo na *Forbes* destaca uma lista dos melhores *websites* que te ajudarão a facilmente se tornar um(a) filantropista: Kiva, Zidisha, Zafen, Watsi, Causes, Razoo, Crowdrise, Globalgiving, fundrazr, indiegogo, kickstarter. Vale a pena pesquisar sobre estes nomes na internet e descobrir como é simples, fácil e possível para qualquer um, independentemente da profundidade dos bolsos, engajar-se em filantropia.

Há diversas maneiras criativas e não convencionais de praticar filantropia. A mais esdrúxula que conheço foi organizada pelo canal japonês Paraíso TV em agosto de 2012, no evento "Erotismo salvará o mundo" que foi transmitido ao vivo *on-line* durante 24 horas. Todas as doações foram destinadas a organização STOP AIDS!, que promove a conscientização, tratamento e prevenção da Aids. Participantes do evento escolhiam entre dez atrizes de filmes adultos japoneses e pagavam para apertar seus seios. Os participantes tinham de ter mais de 18 anos, higienizar suas mãos e fazer uma doação à STOP AIDS! Quem quisesse apertar os seios duas vezes, fazia duas doações.

Sinto-me sortudo de ter nascido e crescido em uma família que sempre me apoiou e ajudou a conseguir as ferramentas necessárias para eu correr atrás dos meus sonhos. Infelizmente, muitas crianças ao redor do mundo todo ainda não conseguem ter acesso à alimentação adequada, muito menos à educação básica ou a serviços de saúde de qualidade. Essa diferença incomensurável no ponto de partida é inaceitável. Acredito que, para o mundo mudar, os mais necessitados vão precisar de ajuda de todos os sortudos vivos. Esse tópico me fascina tanto que, como mencionado anteriormente, o título da minha dissertação foi "Por que Empreendedores de Sucesso se Dedicam à Filantropia?" no mestrado que fiz na ESCP Europe. Fiquei surpreso ao ver que não há extensa literatura científica que investiga o porquê de as pessoas doarem. Há muitos documentos explicando como e quando é mais efetivo doar, mas pouco sobre os porquês. Creio que temos que entender nossos porquês para nos comprometermos com qualquer causa.

Por que você é engajado em filantropia?

Cada bilionário que concorda em participar da iniciativa começada pelo casal Gates e por Buffet tem de responder a esta pergunta em uma carta aberta. Temos, a seguir, algumas cartas (traduzidas livremente do inglês por mim) de bilionários, que foram mencionados em diferentes capítulos do livro, explicando para Buffett, Gates e o mundo porque eles se comprometeram em doar mais de 50% de suas fortunas antes de morrerem ou imediatamente após suas mortes.

Estas cartas são, sem dúvida, minha parte favorita do livro. Eu li, reli e li de novo diversas vezes cada uma delas. Vale a pena mostrar às crianças e tentar isso em casa:

"Exército da Doação"

Michael R. Bloomberg

Magnata que criou seu próprio império multibilionário no mercado financeiro e depois virou prefeito da cidade de Nova York por três mandatos consecutivos.

Meu compromisso de doar

Um dos diretores da minha empresa, Bloomberg LP, recentemente me contou que parte de seu discurso para recrutar novos talentos é perguntar: "Em que outra empresa que você poderia trabalhar em que o dono doa quase todos os lucros para caridade?". Nada jamais me deixou mais orgulhoso da minha empresa do que esta anedota.

Na década de 1990, um indivíduo generoso planejava deixar 50 milhões de dólares para a Universidade Johns Hopkins, onde estudei, após sua morte. Mas perguntei-lhe: Por que esperar? Por que negar ajuda financeira para esta geração? Por que negar uma possível cura para uma doença para esta geração? Isso o convenceu – e ele deu o dinheiro ali mesmo.

Como escrevi a minha autobiografia mais ou menos naquele mesmo período, a realidade da grande fortuna é que você não pode gastá-la e você não pode levá-la com você. Durante décadas, eu tenho me comprometido em oferecer a maior parte da minha riqueza para causas que me apaixonam – e pelas quais meus filhos são apaixonados. E por isso estou entusiasmado em aceitar a "promessa de doação" (giving pledge) *e quase todo o meu patrimônio líquido será doado nos próximos anos.*

Fazer a diferença na vida das pessoas – e ver isso com seus próprios olhos – é talvez a coisa mais gratificante que você vai fazer. Se você quiser desfrutar plenamente a vida, doe. E se você quiser fazer alguma coisa para seus filhos e mostrar o quanto você os ama, a melhor coisa – de longe – é apoiar organizações que irão criar um mundo melhor para eles e seus filhos. Em longo prazo, eles serão beneficiados mais pela sua filantropia do que pelo seu testamento. Eu acredito que as contribuições filantrópicas que estou fazendo são presentes tanto aos meus filhos como para as organizações beneficiárias.

Doar também permite que você deixe um legado que muitos outros vão se lembrar. Rockefeller, Carnegie, Frick, Vanderbilt, Stanford, Duke – nós nos lembramos deles mais por causa dos efeitos em longo prazo de suas ações filantrópicas do que por causa das empresas que fundaram ou por causa de seus descendentes. E, dando, nós inspiramos outros a dar mais de si mesmos, seja o seu dinheiro ou seu tempo.

Na minha terceira carreira, como prefeito de Nova York, eu vi o quão necessárias – e poderosas – são as doações privadas. As parcerias público-privadas são o coração de nossos esforços para melhorar a saúde pública e segurança, lutar contra a pobreza, consertar o sistema escolar que estava quebrado, expandir as oportunidades econômicas, promover as artes, proteger o meio ambiente, e muito mais.

Como filantropo, eu também tive a oportunidade de ver o impacto que doações privadas podem ter em outros países – e o quão longe cada dólar pode ir. Por exemplo, com o financiamento privado, podemos prevenir dezenas de milhões de mortes prematuras causadas por doenças relacionadas ao tabaco e aos acidentes de trânsito – duas áreas em que a minha fundação tem sido ativa.

Na minha vida pública e privada, tenho visto como pequenos grupos podem fazer uma diferença muito grande – na limpeza de um parque, inaugurando uma escola, ou ajudando outros necessitados, seja em sua própria comunidade ou do outro lado do mundo. Estou emocionado que meus amigos Bill Gates e Warren Buffett estão unindo este grupo, que pode ter um impacto sem precedentes sobre o que a filantropia pode alcançar. E quanto mais este esse grupo crescer, mais as pessoas vão compartilhar o prazer de doar, bem como os benefícios que doar trará para o mundo.

George Lucas e Mellody Hobson (sua esposa)

George Lucas é um dos cineastas mais famosos e importantes da história. Lucas é a mente criativa por trás das sagas *Star Wars* e *Indiana Jones*.

Contadores de histórias são professores e comunicadores que falam uma língua universal. Este foi o papel principal de Homero, Platão e Aristóteles, que usaram narrativas e diálogos como um meio de educar. Boas histórias são baseadas em verdades e perspicácia, e um bom contador de histórias é, finalmente, um professor – utilizando as artes como um meio de tornar a educação emocionalmente significativa. Todas estas ferramentas estão à disposição do nosso sistema de ensino, mas muitas vezes não são usadas.

Quando estava no ensino médio, eu me sentia como se estivesse em um vácuo, em um tempo de espera. Estava curioso, mas entediado. Não era um ambiente propício ao aprendizado. Tive a sorte de encontrar o meu caminho e a minha linguagem.

É assustador pensar em nosso sistema de ensino como algo um pouco melhor do que uma linha de montagem, no qual o único objetivo é a produção de diplomas. Uma vez que eu tinha os meios para efetuar a mudança nesta área, tornou-se a minha paixão fazê-lo – para promover aprendizagem ativa ao longo da vida. Eu acredito na escola artesanal de instrução, por meio de aprendizagens e discussões e perguntas aristotélicas. Este nível de envolvimento remonta ao início da vida humana, mas ainda é a melhor maneira de fazer as coisas. Precisamos de normas universais – especialmente na educação – e, ao mesmo tempo em que parece assustador, há uma disposição entre educadores para compartilhar suas melhores práticas.

Em última análise, é por isso que criei a Edutopia e a Fundação Educacional George Lucas [cuja sigla em inglês é GLEF]. O foco da GLEF tem sido compartilhar inovações educacionais – uso de mentores, envolvimento dos pais e avanços tecnológicos. Isso tudo vem direto daqueles na linha de frente, de professores que estão colocando esses métodos em prática. Nós somos os facilitadores. Nosso objetivo tem sido mostrar os ousados avanços e inspirar outros a aumentar ainda mais o apetite pela educação. Nossa esperança é que os administradores, professores e pais verão o poder destes esforços coletivos e irão se juntar à luta por reformas mais amplas.

Mas a reforma é apenas o começo. Precisamos construir novas bases, promovendo o pensamento independente e o desejo de continuar aprendendo. Nossos alunos precisam sair com mais do que apenas habilidades de sobrevivência, e mais do que apenas o que é necessário para concluir a grade escolar. Precisamos promover o pensamento crítico e a inteligência emocional. Precisamos nos concentrar na construção de um sistema educacional que promova diferentes tipos de aprendizagem, diferentes tipos de desenvolvimento e diferentes tipos de avaliação. Temos uma oportunidade e uma obrigação de preparar nossos filhos para o mundo real, para lidar com os outros em ambientes práticos baseados em projetos. É sobre como trabalhar juntos e construir caráter – ser compassivo, compreensivo, e cidadão como um meio para um fim maior.

Assim como a tecnologia muda, o mesmo acontece com os alunos. Também deveriam mudar as salas de aula e os nossos métodos de ensino. Em poucos anos, a conectividade passou de uma novidade tecnológica para uma necessidade diária. É como nossa cultura se comunica, e as nossas crianças estão na vanguarda do seu uso. Compreender essas ferramentas – e como integrá-las na aprendizagem – é um passo essencial na definição de nosso futuro.

Meu compromisso é com o processo; enquanto eu tiver os recursos à minha disposição, vou procurar elevar o nível para as futuras gerações de estudantes de todas as idades.

Estou dedicando a maior parte de minha riqueza para melhorar a educação, que é a chave para a sobrevivência da raça humana. Nós temos de planejar nosso futuro coletivo – e o primeiro passo começa com as ferramentas sociais, emocionais e intelectuais que passamos aos nossos filhos. Como seres humanos, nossa maior ferramenta para a sobrevivência é a nossa capacidade de pensar e de se adaptar – como educadores, contadores de histórias e comunicadores, nossa responsabilidade é continuar a pensar e se adaptar.

Richard e Joan Branson

Dentre os 47 bilionários do Reino Unido, Richard Branson é um dos mais *high profile*. Em 1978, quando ele tinha apenas 28 anos, pagou 180 mil dólares para comprar a ilha Necker. Em 2013, o grupo que ele fundou, Virgin Media, foi vendido por 23,3 bilhões de dólares para o Liberty Global. Sua empresa de voos espaciais, Virgin Galatics, já fez mais de três voos ao espaço.

A nossa família tem sido muito feliz por ser uma das famílias mais próximas que eu conheço. Meus pais estiveram juntos durante toda a sua vida, e minha esposa Joan e eu tivemos uma relação muito longa e feliz. Nossos filhos Holly e Sam se dão bem como quaisquer irmãos e irmãs que conheci e são maravilhosamente próximos um do outro. Portanto, enquanto escrevo esta nota, estou refletindo os pensamentos e desejos de toda a família.

Quando jovem, nunca embarquei em uma jornada para ganhar dinheiro. Aventurei-me criando coisas das quais poderíamos ter orgulho e tentamos fazer a diferença. Desde a fundação da revista Student, *para dar aos jovens na década de 1960 uma voz em questões como a guerra do Vietnã, até a criação da Virgin Galactic para explorar o espaço, sempre tentamos fazer as coisas um pouco diferente e desafiar convenções.*

Como o público gostava do que a Virgin criava, nossas várias empresas, de modo geral, tornaram-se bem-sucedidas. Como elas prosperaram, ao invés de tirar dinheiro para uso pessoal, nós reinvestimos para criar novos empreendimentos e montamos nossa fundação sem fins lucrativos, Virgin Unite, para ajudar a criar e construir soluções empresariais que fazem uma diferença positiva no mundo.

Hoje, o Grupo Virgin é executado por uma equipe maravilhosa, liderada por Peter Norris e Josh Bayliss. Isso me permitiu passar 80% do meu tempo trabalhando com a Virgin Unite e muitos parceiros brilhantes para criar empresas sem fins lucrativos para ajudar a resolver alguns dos principais problemas que o mundo enfrenta hoje, como a resolução de conflitos (The Elders), a redução do carbono (Carbon War Room) e como explorar soluções empreendedoras para proteger a natureza (Gaia Rocks).

Começamos a elaboração de uma nova abordagem de negócios onde as pessoas e o planeta são prioridades por meio do nosso trabalho com o Team B e eu também tenho a sorte de me unir ao [ex-] presidente [Fernando Henrique] Cardoso e à Sylvia Earle para apoiar a criação de suas iniciativas para acabar com a guerra às drogas (The Global Commission on Drugs Policy) e para proteger os oceanos (The Ocean Elders).

[Meus filhos] Holly e Sam também já perceberam que a verdadeira satisfação vem do uso da posição privilegiada que se encontram para tentar fazer uma diferença real na vida das outras pessoas. Sam se inspira no que Jeff Skoll tem feito com a sua riqueza e criou sua própria produtora, Parelio Pictures, que pretende trazer novos públicos para assuntos importantes, usando o filme como meio para inspirar as pessoas a envolverem-se

mais no mundo em que vivem. Holly se jogou no apoio a uma instituição de caridade maravilhosa chamada Free the Children, criou a sua própria instituição de caridade, Big Change Charitable Trust, e dedica muito de seu tempo à Virgin Unite.

Felizmente, no começo da minha vida eu percebi que coisas realmente não importam. Joan e eu vivíamos em um barco e um dia ele afundou. Nós percebemos que não perdemos nada, exceto os nossos estimados álbuns de fotos. Mais tarde, a nossa casa em Londres pegou fogo, destruindo tudo dentro. No ano passado, a nossa casa nas Ilhas Virgens Britânicas foi completamente destruída como resultado de um relâmpago. Estávamos tão aliviados por todos se livrarem com segurança, que mesmo a perda de álbuns de fotos e notebooks *foram de pouca importância.*

Coisas realmente não são o que traz felicidade. Família, amigos, boa saúde e a satisfação de fazer uma diferença positiva são o que realmente importa.

Felizmente, nossas crianças, que serão nossos principais herdeiros, concordam comigo neste tópico. Como e quando sacarmos dinheiro do Grupo Virgin de empresas, a maioria dessa quantia será investida em abordagens empreendedoras para ajudar a fazer a diferença no mundo. Queremos que o valor criado pelo Grupo Virgin seja usado para investir em novas abordagens colaborativas para a resolução de questões, nas quais os empresários, governos e organizações sem fins lucrativos unam forças para criar um mundo saudável, justo e pacífico para as gerações futuras desfrutarem.

Começamos tentando dar voz aos jovens das décadas de 1960 e esperamos que a nossa "promessa de doação" ajude muitas gerações vindouras. Estamos ansiosos para trabalhar com Bill Gates e Warren Buffett e expandir o número de pessoas que fazem parte desse compromisso fora dos Estados Unidos. Temos a honra de nos unir a este grande grupo de líderes como parte de um movimento em que todos os setores estão trabalhando juntos, focando em novas abordagens radicais para resolver questões que ajudarão verdadeiramente a mudar o mundo para melhor.

David Rockefeller

Banqueiro americano nascido em 1915 que vem de uma das famílias mais tradicionais dos Estados Unidos. Ele cresceu em uma mansão que era a maior de Nova York na época.

Filantropos, no seu melhor, tentam resolver graves problemas sociais e, ocasionalmente, atingem inovações que levam à mudança. No final, o sucesso requer muito mais do que recursos financeiros, embora o dinheiro seja, claro, essencial. Boas ideias são tão importantes quanto o dinheiro; caso contrário, corre-se o risco de perder tanto os fundos como a oportunidade. Filantropia eficaz também exige paciência – para lidar com obstáculos inesperados; para esperar os primeiros movimentos da mudança; e para ouvir as percepções e ideias dos outros.

Por cinco gerações a minha família tem experimentado a verdadeira satisfação e prazer da filantropia. O nosso compromisso tem ajudado a criar um grupo forte de instituições, incluindo a Universidade de Chicago, a Universidade Rockefeller, o Museu de Arte Moderna, e o Fundo Rockefeller Brothers. A prática da filantropia também permitiu que muitos de nós se tornassem pessoalmente envolvidos em esforços para enfrentar os desafios globais críticos, como a pobreza, a saúde, o desenvolvimento sustentável e a degradação ambiental. Nossa família continua a ser unida na crença de que aqueles que mais se beneficiaram do sistema econômico de nossa nação têm uma responsabilidade especial para mudar nossa sociedade de maneiras significativas.

Warren Buffet e Bill e Melinda Gates compartilham essa crença e desafiaram outros a prometer doar metade de seus bens para a filantropia durante a sua vida ou quando de sua morte. Tenho o prazer de dizer que esta, há muito tempo, é a minha intenção e prática, e estou muito contente por ter sido convidado a participar desta iniciativa importante. Espero que os outros aceitem esse desafio – e oportunidade – e se juntem a nós neste esforço que vale a pena. Espero também que os nossos esforços para expandir o alcance da filantropia como indivíduos, em colaboração com os outros, e de formas que incluam não só recursos financeiros, mas ideias e paciência inovadora, façam parte do presente que todos nós queremos legar ao futuro.

Jeff Skoll

Canadense, na faculdade Skoll coeditou o jornal satírico dos alunos de engenharia *Toike Oike*. Ele trabalhou como frentista em um posto em North York, Ontário, para pagar seus estudos. Depois de formado, fez um mochilão ao redor do mundo por vários meses antes de regressar e fundar duas empresas em Toronto: Skoll Engineering, uma empresa de consultoria de tecnologia da informação, e Micros on the Move Ltd., uma empresa de locação de computadores.

Eu cresci em uma família de classe média, no Canadá. Meu sonho era ser um escritor que conta histórias que fazem a diferença no mundo. Ao longo do caminho, quando eu saí da escola de negócios, tornei-me o primeiro funcionário em tempo integral e o primeiro presidente de uma nova empresa com um serviço de leilões on-line *chamada AuctionWeb. Essa empresa mais tarde se tornou mais conhecida pelo seu nome empresarial, eBay (fundada por Pierre Omidyar). Quando a empresa abriu seu capital, em 1998, de repente, eu fui de estar em dívida e viver em uma casa com cinco colegas de quarto, para ter centenas de milhões de dólares no valor de minhas ações do eBay.*

Até então, eu não tinha pensado muito sobre filantropia. Mas, com a minha recém-descoberta riqueza virtual, resolvi fazer coisas boas para o mundo com esse dinheiro, de maneiras inteligentes.

A primeira coisa que fiz, em 1999, foi começar a Fundação Skoll. Hoje, a Fundação Skoll é a principal organização do mundo apoiando empreendedores sociais que causam impacto em grande escala. A cada ano, encontramos empreendedores sociais inovadores de todo o mundo – pessoas como Paul Farmer, do "Parceiros da Saúde" (Partners in Health) ou Ann Cotton da Campanha para Educação Feminina (Camfed) – e nós os apoiamos durante vários anos. Nós também convocamos o Fórum Anual Mundial Skoll sobre Empreendedorismo Social, na Universidade de Oxford. Estou orgulhoso do trabalho que estamos fazendo em conjunto com os nossos parceiros e beneficiários. Nas palavras de um dos meus heróis, John Gardner, estamos "apostando em boas pessoas fazendo coisas boas".

Em 2004, ressuscitei minha visão original de contar histórias que fazem a diferença no mundo, criando a empresa Participant Media. Desde então, Participant lançou mais de 25 filmes, incluindo Good Night & Good Luck (Boa Noite e Boa Sorte, *dirigido por George Clooney),* The Kite Runner (O Caçador de Pipas), Charlie Wilson's

War (Jogos do Poder, *com Julia Roberts),* An Inconventional Truth (Uma Verdade Inconveniente), The Cove (A Enseada) *e* Syriana. *Nossos filmes ganharam quatro Oscars e receberam 18 indicações. Mas eu sou mais orgulhoso do impacto que esses filmes tiveram sobre as questões sociais – direitos humanos, Afeganistão, mudança climática e assim por diante. Nós até temos uma rede de ação social chamada TakePart que está se tornando rapidamente uma comunidade on-line para os ativistas sociais e cidadãos interessados. Para mim, a Participant é uma outra forma de filantropia, já que eu acredito que boas histórias bem contadas podem inspirar e compelir mudança social.*

Em 2009, comecei uma nova fundação, chamada Fundo Skoll de Ameaças Globais, para lidar com ameaças urgentes que afligem a humanidade. As cinco primeiras questões são as alterações climáticas, a paz no Oriente Médio, as armas nucleares, pandemias e escassez de água. Estas questões podem fazer a humanidade sofrer no futuro, se não forem enfrentadas agora. Eu já doei cerca de metade da minha riqueza líquida a essas organizações, nos últimos 11 anos. Espero contribuir com quase toda a minha riqueza para o aperfeiçoamento da humanidade durante ou após minha vida.

Enquanto isso, vou continuar a contar histórias que despertam interesse público, ativam engajamento dos cidadãos e galvanizam a vontade política. Vou continuar a apoiar soluções inovadoras com duradouro impacto social.

E vou continuar a apoiar os mecanismos catalíticos, como o Fórum Mundial Skoll e TakePart, que unem as forças da mudança de todos os cantos e culturas da humanidade.

Ao fazê-lo, espero que também inspire outras pessoas a fazerem o mesmo. O mundo é um lugar vasto e complicado, e precisa de cada um de nós fazendo tudo o que pudermos para garantir um futuro melhor para as gerações futuras. Conrad Hilton disse que é o dever das pessoas bem-sucedidas dar de volta à sociedade da qual seu sucesso foi derivado. Eu me sinto privilegiado por ter crescido no Canadá e agora viver nos Estados Unidos, dois países que valorizam e recompensam a educação, o trabalho duro e as boas escolhas. Eu me sinto sortudo por ter sido capaz de perseguir os meus sonhos e espero que minhas contribuições possam de alguma forma levar a um mundo sustentável de paz e prosperidade.

Pierre e Pam Omidyar

Pierre nasceu na França, filho de pais iranianos. Ele tornou-se bilionário aos 31 anos, quando a empresa que ele fundou, eBay, foi listada na bolsa. Desde 2010, dedica-se ao jornalismo *on-line*. Atualmente, o bilionário vive no Havaí.

Quando o eBay abriu seu capital em 1998, Pam e eu nos encontramos de repente em uma posição de grande riqueza. Em questão de dias, passei de uma vida modesta para fazer parte da lista dos americanos mais ricos da Forbes.

Foi uma experiência surreal. Mas a responsabilidade que sentíamos por sermos bons representantes da classe dos mais ricos era genuína – e tem crescido desde então.

Em 2001, eu disse publicamente que pretendemos doar a grande maioria de nossas riquezas durante a nossa vida. Nosso ponto de vista é bastante simples. Nós temos mais dinheiro do que a nossa família vai precisar. Não há necessidade de guardar esta fortuna quando ela pode ser colocada em uso hoje, para ajudar a resolver alguns dos problemas mais intratáveis do mundo.

Pensando sobre como poderíamos ser mais eficazes, começamos nosso trabalho nos lembrando de nossos valores fundamentais, incluindo o respeito pelos outros e um sentido de serviço. Fizemos um esforço consciente para nos mantermos fiéis a esses princípios, enquanto nossos esforços crescem e evoluem. A comunidade eBay também nos ensinou uma lição valiosa: as pessoas respondem a oportunidades de maneiras inspiradoras. As organizações que temos criado e o tempo e a energia que gastamos em várias causas estão enraizados em nossa crença de que as pessoas são inerentemente capazes, mas frequentemente falta-lhes oportunidades.

Hoje acreditamos que o nosso impacto filantrópico é amplificado porque a nossa abordagem utiliza uma grande variedade de ferramentas e recursos. Nós não apenas assinamos cheques; nos envolvemos profundamente com as organizações que apoiamos para ajudá-las a alcançar e melhorar a vida de milhões de pessoas, não apenas milhares. Investimos em organizações com fins lucrativos que atendem populações negligenciadas com produtos e serviços necessários. Entramos em contato com investidores que pensam de maneira parecida para formar coligações que se beneficiarão com nosso apoio e voz unificada.

Assim, enquanto o foco da "promessa de doação" é nos filantropos e montantes prometidos, somos inspirados pelas organizações que apoiamos e estão fazendo coisas incríveis e pelas pessoas que nós estamos aqui para servir.

Temos o prazer de estar ao lado de Bill e Melinda, Warren, e tantos outros que estão trabalhando todos os dias para criar impacto social positivo no mundo. Sinceramente, não depende apenas da pequena minoria que tem dinheiro de sobra; mudança duradoura exige que todos nós trabalhemos juntos em todos os setores e culturas. Nosso desafio comum não é necessariamente sobre dólares investidos; trata-se de descobrir o uso mais eficiente e eficaz dos nossos recursos e de deixar um legado de esperança para aqueles que virão.

Larry Ellison

Nem tudo foram rosas na vida do bilionário que fundou a gigante de computação Oracle. Ele contraiu pneumonia com 9 meses e sua mãe lhe deu para seu tio e tia para adoção, fato que ele só descobriu quando tinha 12 anos de idade. Ele não se encontrou com sua mãe biológica novamente até seus 48 anos. Aos 13 anos ele recusou celebrar seu bar mitzvah (costume judeu). Idolatrado por muitos jovens, que o veem como gênio da computação, Ellison fez uma breve aparição no filme *Homem de Ferro 2*.

A quem possa interessar,

Muitos anos atrás, eu coloquei praticamente todos os meus bens em uma conta de confiança com a intenção de doar pelo menos 95% da minha riqueza para causas beneficentes. Eu já doei centenas de milhões de dólares para pesquisas médicas e educação, e vou doar bilhões a mais ao longo do tempo.

Até agora, eu tenho feito estas doações discretamente – porque faz tempo que acredito que doações de caridade sejam um assunto pessoal e privado. Então, por que é que eu estou contando ao público agora? Warren Buffett pessoalmente me pediu para escrever esta carta porque ele disse que eu estaria "servindo de exemplo" e "influenciando outros" a doar.

Espero que ele esteja certo.

Bill e Melinda Gates

Os pais ao redor do mundo fazem o seu melhor para dar grandes oportunidades aos filhos. Eles trabalham para dar a seus filhos todas as oportunidades para perseguirem seus próprios sonhos.

No entanto, para muitos pais, os seus sonhos de dar uma vida melhor às suas famílias estão frustrados. Nos Estados Unidos, seus filhos não recebem a educação de que precisam para ter sucesso na vida. No mundo em desenvolvimento, seus filhos sucumbem a doenças que há muito já foram erradicadas nos países ricos.

Anos atrás, quando começamos a aprender sobre saúde global, ficamos especialmente chocados ao ler que uma doença altamente evitável – rotavírus – estava matando 500 mil crianças a cada ano. Acidentes de avião sempre são notícias de primeira página, mas aqui estava um assassino de meio milhão de crianças a cada ano, e a maioria não podia nomeá-lo, muito menos pará-lo.

Nós comprometemos a vasta maioria de nossos ativos para a Fundação Bill e Melinda Gates para ajudar a acabar com mortes evitáveis como estas, e para derrubar outras barreiras para a saúde e educação, que impedem as pessoas de atingirem o potencial máximo de suas vidas. Nosso princípio motivador é que todas as vidas têm igual valor. Dito de outra forma, isso significa que nós acreditamos que toda criança merece a chance de crescer, sonhar e fazer grandes coisas.

Fomos abençoados com boa sorte, superior às nossas expectativas mais otimistas e estamos profundamente gratos. Mas, assim como esses presentes são grandes, também sentimos uma grande responsabilidade de utilizá-los bem. Por isso, estamos muito satisfeitos em nos unirmos para fazer um compromisso explícito com a "promessa de doação".

A ideia do compromisso veio das discussões que tivemos com outros doadores sobre o que eles estavam fazendo, sobre o que havia funcionado na filantropia e o que não funcionou. Todos compartilharam sobre como doar tornou suas vidas mais ricas. Todos os presentes se inspiraram ouvindo a paixão dos outros e se encorajaram a fazer ainda mais.

Para nós dois, que já vemos o progresso incrível todos os dias, mas também quanto trabalho ainda resta, estamos honrados em fazer parte desta "promessa de doação".

Por exemplo, para nós, as vacinas são milagres, minúsculos vasos de esperança e promessa. E o mundo fez progresso ao vacinar milhões de crianças. Mas há ainda outros milhões que morrem de doenças evitáveis. Então, queremos ter certeza de que as vacinas que salvam vidas alcançarão todos que precisam delas, e de que o mundo desenvolverá novas vacinas.

Temos visto um progresso similar no sistema de ensino dos Estados Unidos. Nós visitamos as escolas que estão quebrando as barreiras de idade e preparando todas as crianças para a faculdade e para a vida. Estas são ótimas escolas, mas não há nem de perto o suficiente delas. Agora, a tarefa é ter certeza de que cada estudante recebe a mesma oportunidade de ter sucesso na faculdade e na vida.

Ambos tivemos a sorte de crescer com os pais que nos ensinaram alguns valores muito importantes. Trabalhe duro. Mostre respeito. Tenha um senso de humor. E se a vida abençoá-lo com talento ou tesouro, você tem a responsabilidade de usar os dons tão bem e tão sabiamente quanto você possivelmente pode. Agora esperamos passar esse exemplo para os nossos próprios filhos.

Sentimos muita sorte de ter a oportunidade de trabalhar juntos para devolver os recursos que gerenciamos. Ao aderir ao esforço da "promessa de doação", estamos certos de que nossas doações serão mais eficazes por causa do tempo que vamos gastar com este grupo. Estamos ansiosos para compartilhar a experiência maravilhosa que tem sido para nós e aprender com a experiência dos outros.

Muitas felicidades.

WARREN BUFFETT

Minha promessa filantrópica

Em 2006, eu me comprometi em doar gradualmente todas as minhas ações da Berkshire Hathaway a fundações filantrópicas. Não poderia estar mais feliz com essa decisão.

Agora, Bill e Melinda Gates e eu estamos pedindo para que centenas de americanos ricos prometam doar pelo menos 50% de sua fortuna para caridade. Então, acho que é justo que eu reitere minhas intenções e explique minha linha de raciocínio.

Em primeiro lugar, minha promessa: mais de 99% da minha riqueza irá para filantropia durante minha vida ou quando eu morrer. Medido em dólares, este compromisso é grande. Em um sentido comparativo, porém, muitas pessoas dão mais para os outros todos os dias.

Milhões de pessoas, que contribuem regularmente para igrejas, escolas e outras organizações deste tipo, abrem mão de recursos que de outra forma beneficiariam suas próprias famílias. Os dólares que essas pessoas usam em um prato de coleção ou doação para a United Way os fazem abrir mão de filmes, jantares em restaurantes ou outros prazeres pessoais. Em contraste, a minha família e eu não abriremos mão de nada do que precisamos ou queremos, cumprindo esta promessa de doar 99% da minha fortuna.

Além disso, esta promessa não me faz contribuir com o bem mais precioso, que é o tempo. Muitas pessoas, incluindo – tenho orgulho em dizer – meus três filhos, dão bastante do seu tempo e talento para ajudar aos outros. Presentes deste tipo revelam-se muito mais valiosos do que dinheiro. Uma criança sofrendo, com a amizade e alimento doado por um mentor carinhoso, recebe um presente cujo valor excede em muito o que pode ser dado por um cheque. Minha irmã, Doris, ajuda pessoas cara a cara diariamente. Eu fiz pouco disso.

O que posso fazer, no entanto, é dar uma pilha de certificados de ações da Berkshire Hathaway – "cheques" que, quando convertidos em dinheiro, podem se transformar em recursos de longo alcance – e comprometê-los para beneficiar outras pessoas que, por meio do azar no sorteio, receberam as mazelas na vida. Até o momento, cerca de 20% das minhas ações foram distribuídas (incluindo ações doadas por minha falecida esposa, Susan Buffett). Vou continuar a distribuir anualmente cerca de 4% das ações que mantenho. No final, os rendimentos de todas as minhas ações da Berkshire serão gastos em fins filantrópicos por 10 anos após a minha propriedade ser liquidada. Nada vai para bancos de doações; quero o dinheiro gasto com as necessidades atuais.

Este compromisso vai deixar meu estilo de vida intocado e o dos meus filhos também. Eles já receberam somas significativas para seu uso pessoal e receberão mais no futuro. Eles vivem uma vida confortável e produtiva. E eu vou continuar a viver de uma forma que me dá tudo que eu poderia querer na vida.

Algumas coisas materiais fazem a minha vida mais agradável; muitas, no entanto, não. Eu gosto de ter um avião particular caro, mas possuir meia dúzia de casas seria um fardo. Muitas vezes, uma vasta coleção de posses acaba possuindo seu dono. O ativo que mais valorizo, além de saúde, é ter amigos interessantes, diversificados e de longa data.

Minha riqueza vem de uma combinação de viver nos Estados Unidos, alguns genes de sorte e juros compostos. Ambos os meus filhos e eu ganhamos no que eu chamo de loteria do ovário. (Para começar, as chances do meu nascimento em 1930 ocorrer nos EUA eram de pelo menos 30 contra 1. Ser homem branco também removeu a maioria dos enormes obstáculos que norte-americanos, em seguida, enfrentaram.) Minha sorte foi acentuada por viver em um sistema de mercado que, por vezes, produz resultados distorcidos, embora, no geral, sirva bem o nosso país. Eu trabalhei em uma economia que recompensa quem salva a vida de outras pessoas em um campo de batalha com uma medalha, recompensa um grande professor com notas de agradecimento por parte dos pais, mas recompensa aqueles que podem detectar erros nos preços de títulos com somas que chegam aos bilhões. Em suma, a distribuição da sorte pelo destino é descontroladamente caprichosa.

A reação da minha família e minha à nossa extraordinária boa sorte não é de culpa, mas sim de gratidão. Se fôssemos usar mais de 1% dos meus "cheques" para nós mesmos, nem a nossa felicidade nem o nosso bem-estar aumentariam. Por outro lado, os restantes 99% podem ter um enorme efeito sobre a saúde e o bem-estar de outros. Essa realidade define um caminho óbvio para mim e para minha família: mantenha tudo o que podemos precisar e distribua o resto para a sociedade, para as suas necessidades. Meu compromisso é iniciado neste caminho.

7

Bilionário Fica no Presente e Sabe que Não É a Pessoa Mais Importante da Sala

"Viva o presente intensamente e totalmente, não deixe o passado ser um fardo, e deixe o futuro ser um incentivo. Cada pessoa forja o seu próprio destino."

Carlos Slim, Mexicano que foi o homem mais rico do mundo nas listas de bilionários da *Forbes* durante quatro anos seguidos, entre 2010 e 2013.

Este talvez seja o mais subjetivo de todos os mandamentos. Contudo, em todas as minhas interações com diversos bilionários, tanto pelo telefone como pessoalmente, sempre fiquei impressionado por sentir que realmente o(a) bilionário(a) estava me dando sua completa atenção. No começo, achava que, por eu representar a *Forbes*, o entrevistado teria um interesse óbvio em causar a melhor impressão, já que iríamos escrever sobre ele. Depois, ao prestar atenção em como eles interagem com outras pessoas, percebi que não era o único que se sentia privilegiado e cheguei à conclusão de que o *modus operandi* dos bilionários é estar sempre 100% no presente e fazer com que os outros também se sintam importantes. Parece fácil? Se sim, desafio você a ficar 100% no presente apenas até o final deste curto capítulo.

Eu entrevistei o bilionário brasileiro Abílio Diniz em Boston. Achei que minha conversa com o bilionário que criou o império varejista do Grupo Pão de Açúcar seria breve, mas acabamos batendo papo por mais de uma hora. O superativo Abílio, que tem mais de 70 anos, estava tão presente que o nosso papo foi rejuvenescedor. Saí da conversa com mais energia do que entrei. Diniz não quis só se promover ou simplesmente responder minhas perguntas, ele quis saber quem eu era e como tão jovem já trabalhava para a *Forbes*. Diz o ditado que "enquanto você fala, diz o que já sabe. Portanto, aprende menos do que quando ouve". Talvez tenha sido por isso que Abílio me perguntou sobre minha história, ou quiçá simples curiosidade, mas acredito que tenha sido para criar empatia.

Segue uma breve anedota que ilustra a importância de criar empatia. Dois candidatos à presidência do país foram entrevistados por uma renomada jornalista. O primeiro, de currículo perfeito, respondeu a todas as perguntas com maestria. Ele era eloquente, bem articulado, ia direto ao ponto e tinha boas respostas e planos concretos para todas as perguntas. A jornalista saiu da entrevista impressionadíssima com o candidato. Depois, ela foi entrevistar o concorrente, que no final de cada uma de suas respostas, perguntava à jornalista: "E você, concorda com isso? Acha que poderíamos fazer diferente? Aliás, qual a sua área de *expertise*? Tem alguma coisa que te tira do sério e que você acha que o governo deveria mudar mais rapidamente?". Em suma, o candidato parecia querer ouvir as opiniões de quem o entrevistava. A jornalista saiu deste segundo encontro sentindo que ela era a pessoa mais importante da sala. E concluiu que com um candidato, ela era invisível, tudo era sobre ele – o que era normal na maioria das entrevistas que fazia. Contudo, sentiu que o outro candidato, enquanto era mais humano, a tratava como alguém único, com quem ele poderia e deveria aprender. Tente adivinhar quem ganhou o voto daquela jornalista. E você, quando interage com outros, quer impressioná-los? Ou se esforça para que sintam que eles também são importantes?

No livro *Sete Hábitos das Pessoas Altamente Eficazes* (1989), *best-seller* que já vendeu mais de 15 milhões de cópias ao redor do mundo e que a *Forbes* nomeou em 2002 como um dos 10 livros mais influentes de gestão da história, o autor Stephen Covey sugere cativar a "escuta empática para ser genuinamente influenciado por uma pessoa, o que os obriga a retribuir, a te ouvir e ter uma mente aberta para ser influenciado por você; criando uma atmosfera de carinho...". Esta prática de *"escuta empática"* é definitivamente exercida pela maior parte dos bilionários com os quais interagi. Vivi isso na pele diversas vezes. Abílio Diniz certa vez me disse:

"Eu acho que os jovens devem ter uma ambição controlada, quererem ser cada vez melhores; não critico ninguém que queira ganhar bastante dinheiro, mas a principal busca deve ser a felicidade. Se você puder escolher uma coisa só na vida, escolha ser feliz. Coloque isso como uma meta e persiga isso. Por que você foi trabalhar na China, só para viajar? Não, para aprender coisas. Por que você estudou na França? Só porque é glamouroso? Não, porque você quer aprender. Então, você tem ambições. Isso é muito legal! Tem que ter ambições. Tem que ralar! Ralar para poder conseguir tudo aquilo que se quer da vida. Eu acho muito bacana encontrar um cara como você".

Depois trocamos *e-mails* e Abílio me escreveu, no dia 01 de junho de 2012:

"Você é uma pessoa especial, sua ambição, que acredito ser controlada, sua agressividade, e por que não?, sua ousadia, fazem de você um jovem com grandes possibilidades de um futuro brilhante. Peço a Deus que o proteja e ajude a alcançar seus objetivos".

Resta alguma dúvida de que Abílio tentou fazer com que eu, jovem que nem acumulou (ainda) 1 milhãozinho, me sentisse importante? Eu fiquei surpreso em constatar que os bilionários com os quais interagi parecem querer aprender sempre, até mesmo comigo.

Infelizmente, na minha vida pessoal não sinto que esta é a norma. Viajo muito por trabalho, estudo, família, lazer e qualquer outra desculpa que consiga inventar. Meu lema pessoal é: "Não sei qual a pergunta. Mas a resposta certa sempre é viajar". A pior parte de viajar constantemente é não passar muito tempo com algumas pessoas que eu amo. Tento retornar ao Brasil todos os anos para rever minha família e amigos. Porém, muitas vezes, mesmo que nossos encontros sejam tão raros, percebo que algumas pessoas não estão 100% naquele momento. Enquanto conversamos, alguns ficam deliberadamente ausentes – por exemplo, digitando no celular – e outros simplesmente não têm o hábito de se lembrar onde fica o presente e sinto, facilmente, que estão com a cabeça nas nuvens. Em Nova York, onde todos têm tanta oferta de fazer tantas coisas o tempo todo e a grande maioria está sempre com a agenda cheia, também vejo as pessoas se esquecendo de desfrutar o presente. Pesquisas de neurocientistas da Unidade de Neuroimagem Cognitiva do Instituto Nacional da Saúde e da Pesquisa Médica da França (na sigla em francês, Inserm), agência de pesquisa médica francesa, concluem que só podemos ser eficientes fazendo no máximo duas atividades ao mesmo tempo.

Estudiosos afirmam que fazer mais ao mesmo tempo aumenta nossas probabilidades de errar. Um estudo de Clifford Nass, pesquisador de Stanford, concluiu que quem está muito acostumado a fazer diversas atividades ao mesmo tempo (em inglês, *multitasking*) usa seu cérebro de maneira muito menos efetiva. Todos conhecemos alguém que, ao mesmo tempo que lê, checa Facebook, manda mensagens de textos, come alguma coisa e ainda faz algo esdrúxulo, como cortar as unhas, tudo simultaneamente. Avise-o que pesquisas mostram que vale muito mais a pena fazer uma atividade de cada vez do que todas ao mesmo tempo. Nass alerta que as pessoas acostumadas a fazer diversas coisas ao mesmo tempo se defendem afirmando que funcionam melhor fazendo várias coisas ao mesmo tempo porque já estão acostumadas e, portanto, isso não faz mal a elas. Esse argumento de defesa é tão ilógico quanto um fumante dizer: “Eu estou acostumado a fumar, então fumar não faz mal para mim”. Nass sugere o que ele chama de “regra dos 20 minutos”. Em vez de pular de tarefa em tarefa a cada minuto, dedique 20 minutos contínuos a uma só atividade e só depois mude para a próxima.

Parece-me que a dificuldade de estar no presente e concentrar-se no agora não é um fenômeno desse mundo moderno, pois Henry James, autor de *Retrato de uma Senhora* (1882) e um dos escritores mais importantes da virada do século XIX, disse há mais de 100 anos: "Tente ser uma pessoa com quem nada se perde". A preocupação constante de James é a percepção. Em James, só a autoconsciência e a clara percepção do outro levam à sabedoria. Como sabemos se alguém está presente de corpo e alma ou apenas esta lá no plano físico? Não sei se dá para descrever, mas você simplesmente sabe e/ou sente. Bilionários realmente prestam atenção nas minhas perguntas e se esforçam em dar sua melhor resposta para cada uma. Nem todas as pessoas com as quais me comunico são assim. Seja sincero, você está no presente sempre? Você tenta ser o seu melhor sempre? Ou muitas vezes você entra no piloto automático?

O *best-seller O Poder do Agora,* escrito por Eckhart Tolle, foi traduzido para mais de 30 línguas. O livro sintetiza e mistura ideias do budismo, cristianismo, taoísmo e outras tradições para sugerir que nossas mentes estão condicionadas a pensar em termos de passado, presente e futuro. Estamos constantemente preocupados em sonhar com o futuro ou olhar pelo retrovisor. Ou estamos apertando *replay* para assistir o filme do nosso passado ou estamos querendo assistir a *trailers* do filme do nosso futuro. Porém, deveríamos focar no presente, no aqui e agora.

Tolle afirma que nos concentramos no que já aconteceu porque o passado nos traz tanto o nosso sentido de identidade quanto as circunstâncias da vida que atualmente enfrentamos. O passado traz consigo toda uma série de respostas condicionadas, que nos mantêm aprisionados e nos impede de ver o agora como ele realmente é. Culpa, arrependimento, amargura e remorso são resultados de quem passa demasiado tempo revivendo o que já passou. Em contrapartida, Tolle explica que nos concentramos no futuro porque este é o lugar onde estão todos os nossos sonhos, esperanças e até mesmo medos; stress, ansiedade e preocupação são resultados de quem tem demasiado foco no futuro, de acordo com Tolle.

A conclusão é que agora é tudo que existe: o futuro será outra série de agoras quando o tempo chegar. O passado ficou para trás mas, na realidade, também só chegamos a vivê-lo como uma série de agoras.

O guru do agora, Tolle, afirma que o pensamento compulsivo é o maior obstáculo para nos concentrarmos no presente. Vozes em nossas cabeças estão continuamente reclamando, comentando, julgando, criticando e rotulando as pessoas e situações. Esse fluxo involuntário e incessante de ruído mental é um véu que distorce a nossa percepção da realidade e nos drena de vitalidade.

Convencido de que vale a pena viver no agora, mas viciado em focar no passado ou no futuro? Minha dica favorita de Tolle para viver constantemente no agora é: preste atenção absoluta nas rotinas do dia a dia, como lavar as mãos, mudar de marcha no seu carro, subir degraus. Enquanto estiver fazendo estas atividades corriqueiras, tente estar ciente de todos seus movimentos, por mais mecânicos e automáticos que possam parecer.

Não tenho certeza da razão que faz os bilionários viverem no presente. Especulo que o principal motivo seja que bilionários entendem que o seu ativo mais valioso é o seu tempo. Portanto, creio que eles tentam dar o seu melhor em tudo que decidem fazer, mesmo que seja algo simples como dar uma entrevista. Talvez bilionários tenham o hábito de estar no presente pois, por terem acesso a recursos quase ilimitados, sabem que poderiam fazer qualquer coisa que quisessem e, em vez disso, escolheram aquela rotina. Talvez antes de acumularem o primeiro bilhão, eles já tivessem o hábito de estar sempre no presente e este hábito continuou quando se tornaram bilionários. Lembre-se da máxima de Aristóteles: "Nós somos o que fazemos repetidamente. Portanto, excelência não é um ato, mas sim um hábito". Sem dúvidas, vale a pena criar o bilionário hábito de focar no presente.

ENTÃO...
O QUE VOCÊ
ACHA DESSE
BEBEDOURO?

Perfil: Abílio Diniz

Entrevistei o bilionário brasileiro Abílio Diniz em maio de 2012, em Boston, durante uma conferência sobre Capitalismo Consciente, movimento encabeçado pelo ex-hippie e agora bilionário John Mackey, fundador de uma rede de varejo de alto padrão (e preços) chamada Whole Foods. A base do capitalismo consciente é mostrar que as empresas mais bem-sucedidas têm como objetivos principais tanto os lucros dos seus donos, quanto o foco em *como* fazem seus negócios. Ou seja, o lucro altíssimo é tão importante quanto o bem-estar de todos os envolvidos nas atividades da empresa: os fornecedores, funcionários, clientes, a comunidade local etc.

Abílio Diniz estava acompanhado de seu filho Pedro Paulo Diniz e mais de dez diretores do Grupo Pão de Açúcar. Paulo Gualtieri, executivo do Grupo Pão de Açúcar na época, disse-me que Abílio lidera, por meio do exemplo, chegando cedo e saindo tarde todos os dias – e que também pega no pé de seus executivos para se manterem em forma. Naquele período, as tumultuadas negociações sobre o controle do Grupo Pão de Açúcar entre Abílio Diniz e o francês Jean Charles Naouri ocupavam as manchetes do mundo todo. Pouco tempo depois, Diniz e mais de 20 executivos – incluindo Gualtieri – seriam catapultados da empresa que tinha sido da família do empresário por mais de meio século. Portanto, durante a conferência em Boston, Abílio e seu *entourage* já estavam vivendo um período extremamente turbulento, que culminaria com os franceses do Grupo Casino assumindo o controle da empresa. Apesar de tudo, a alegria, descontração e até mesmo barulho da mesa dos brasileiros do Grupo Pão de Açúcar destoava da seriedade do resto dos conferencistas. Nenhum gringo ali presente poderia desconfiar que Abílio e seu grupo estavam passando por uma crise tão profunda.

Abílio Diniz fez a palestra de encerramento, passando o que aprendeu na sua trajetória pessoal e profissional desde 1959, ano em que seu pai abriu o primeiro pequeno supermercado – então ainda uma novidade no Brasil dos armazéns, empórios e secos e molhados – até o Grupo Pão de Açúcar transformar-se em um império multibilionário e ter se tornado um dos maiores empregadores privados do Brasil, com mais de 150 mil colaboradores. Abílio recusou-se a comentar as negociações com o Grupo Casino e focou no lado positivo de sua história, revelando que acredita que sem um diferencial claro é impossível atingir sucesso duradouro. Ele afirmou que o que distingue o Pão de Açúcar de todos seus competidores é o foco absoluto em qualidade. E você, sabe qual o seu diferencial? Quando fiz esta pergunta para Abílio, ele revelou que sempre seguiu quatro fundamentos básicos para o sucesso: humildade, determinação e garra, disciplina e equilíbrio emocional.

Quando conversamos, o bilionário estava mais perto de completar 80 anos do que eu de completar 30. Contudo, eu não tinha dúvidas de que se a entrevista virasse uma luta, ele ganharia facilmente. Não por Abílio ser especialista em alguma arte marcial ou por eu estar de ressaca ou fora de forma. Mas sim porque Abílio se encontrava em excelente forma – melhor do que muitos jogadores de futebol profissional ainda em atividade. Abílio não justifica sua forma de superatleta como predisposição genética, mas sim como o resultado de muito trabalho duro. Quem o vê de hoje, não imaginaria que ele foi um jovem gordinho nos tempos de colégio e duvidaria de que ele nasceu em 1936.

Abílio Diniz me contou que nem tudo foram rosas em sua jornada até os bilhões e que teve de se reinventar diversas vezes para chegar ao topo. Desde o pequeno mercadinho até o império bilionário, o caminho do empresário foi cheio de lombadas, desvios, e alguns trechos da sua jornada foram muito nebulosos. Abílio me contou o início de sua inesperada jornada profissional como dono de supermercados:

"Eu sempre quis ser economista. Mas depois fui para administração de empresas porque achava que lá tinha mais dinheiro. Eu não era totalmente pobre, mas era uma pessoa de poucos recursos. Depois que me formei na Faculdade Getúlio Vargas (FGV), eu estava devidamente inscrito na Michigan State University. Eu iria ser professor. Naquela altura, 1959, não tinha muita coisa para fazer no Brasil. Estava indo para Michigan para fazer meu *master* e depois meu PhD e ser professor. Aí meu pai teve a ideia de fazer o supermercado e tudo mudou."

Sua história, assim como a de vários bilionários, não foi linear. Levou tempo até ele entrar no pequeno negócio da família e fazê-lo crescer exponencialmente. A convite do ministro Mario Henrique Simonsen, Abílio Diniz integrou o Conselho Monetário Nacional durante 10 anos, entre 1979 e 1989.

Quando lhe perguntei qual foi o período mais traumático da sua vida, ele respondeu que foi quando o Pão de Açúcar quase quebrou, no começo da década de 1990. Abílio revelou que, naquela época, era tão marrento que costumava arrumar brigas até mesmo em partidas de polo. Eu fiquei muito surpreso com esta resposta. Por mais difícil que tenha sido aquele período, ter quase falido nos negócios foi mais traumático do que ter sido sequestrado?

Abílio disse que sim e não quis elaborar muito sobre os seis dias que ficou em cativeiro. Até mesmo no seu livro autobiográfico *Caminhos e Escolhas*, que foi um *best-seller* no Brasil, ele não discorre extensivamente sobre aquele período. Em 1989, dez sequestradores – quatro chilenos, três argentinos, dois canadenses e um brasileiro – que pertenciam ao MIR (Movimento da Esquerda Revolucionária) do Chile, marcaram páginas negras na biografia do bilionário brasileiro. Os sequestradores usaram uma Caravan disfarçada de ambulância para bloquear o caminho do empresário, nas esquinas das ruas Sabuji e Seridó, no Jardim Europa (zona nobre de São Paulo). Abílio pouco pôde fazer para se defender e foi levado para o cativeiro. Os criminosos pediram resgate de 30 milhões de dólares.

O episódio traumático teve final feliz. A libertação de Diniz ocorreu na véspera do segundo turno da eleição presidencial, disputado entre Luís Inácio Lula da Silva e Fernando Collor de Mello. Diniz tenta negar ou não dar relevância ao impacto que este episódio teve na sua vida. Mas, em 2013, a imprensa brasileira revelou que Diniz gastava cerca de 30 milhões de reais mensais com uma ampla estrutura de segurança para ele e sua família.

Descrito pela imprensa internacional e por muitos que o conhecem como viciado em trabalho, Abílio me disse: "amo minha própria rotina. Afinal, fui eu quem a criei". A sua felicidade parece estar atrelada à sua extrema disciplina e organização. Quando voltei para Nova York e minha chefe, Luisa Kroll, me perguntou como foi o encontro com Abílio, eu me lembro de ter respondido algo como: "Ele realmente consegue ter a disciplina para ir até o final e assim lograr o que parece inatingível para alguém de sua idade. Desculpe parecer preconceituoso, mas ele é anormal – e digo isso como um elogio. Ele é a primeira pessoa que conheço que diz malhar três vezes ao dia".

Em 1994, o bilionário preparou-se por um ano para correr a famosa maratona de Nova York pela primeira vez. Porém, aos 57 anos, Abílio sofreu uma contusão duas semanas antes da prova. Mesmo assim fez questão de participar do evento. Todo este autocontrole e segurança no próprio taco vem de um investimento alto de tempo e dinheiro: Diniz faz análise freudiana desde os 29 anos. Deve ter gasto mais dinheiro em psicoterapia do que a maioria dos brasileiros acumula em toda sua vida.

8

Bilionário Tempera Tudo Com Tenacidade e Tesão! Modo de Preparo: Com Brilho nos Olhos!

"Você tem de ver aonde sua paixão o vai levar... Se você está focado apenas na ideia de se tornar um bilionário, você vai gastar suas energias mas não vai criar qualquer valor real que dure. Sendo assim, se aperfeiçoe e foque na sua paixão. É um clichê, mas é absolutamente verdadeiro".

Steve Forbes, neto do fundador da revista *Forbes*, que concorreu à presidência dos Estados Unidos por duas vezes.

Paixão pode ser definida como aquela intensa emoção que te preenche de desejo e entusiasmo. Ralph Waldo Emerson, um dos mais importantes escritores do século XIX, disse: "Nada jamais foi conquistado sem entusiasmo". Pessoalmente, gosto de dizer que entusiasmo é o tempero necessário para ter uma vida extraordinária. A origem da palavra entusiasmo vem do grego *en-theos*, que significa literalmente "Deus dentro de nós em ação". Os gregos usavam esta palavra para se referir às pessoas que estavam "possuídas" por um dos deuses e, assim, conseguiam realizar obras extraordinárias. Não importa em qual, ou quais, deus(es) você acredita – ou se não acredita em nenhum –, mas o conceito é de que, quando você está entusiasmado, entra em contato direto com algo poderoso e positivo dentro de si. E você, sabe o que lhe entusiasma?

Há mais de 2 mil anos, os mais sábios aconselham a, antes de mais nada, ter clareza sobre os seus pontos fracos e fortes e saber quem você é, e quem você não é. Desde os gregos, o pré-requisito básico para o sucesso já era o autoconhecimento. Tales de Mileto, considerado por muitos o primeiro filósofo da história, já aconselhava: "Conhece-te a ti mesmo". E você, se conhece? Sabe qual é a sua paixão?

Warren Buffett, que vocês já devem ter percebido que é um dos meus bilionários favoritos, diz: "Não se contente com qualquer coisa que não seja a sua paixão – se você tiver a sorte de a encontrar". Um livro recomendado fortemente para te ajudar a ter clareza sobre as suas paixões é *Descubra seus Pontos Fortes*, sugerido por Kent Farfield, meu professor na FDU e ex-vice presidente do Chase Manhattan Bank. O livro não só vai auxiliá-lo na descoberta das suas paixões, mas também vai tentar convencê-lo de que vale muito mais a pena dedicar a maior parte do seu tempo às suas paixões do que tentar ser uma espécie de super-homem, bom em tudo. Dizem os autores do livro: "Focar aperfeiçoar seus pontos mais fracos vai ajudá-lo a evitar o fracasso. Mas não vai ajudá-lo a alcançar a excelência". Há um vídeo divertido com o chefão-mor Steve Forbes, Warren Buffett e o rapper Jay Z, em que o tema da paixão é discutido. No descontraído papo, uma das dicas reveladas é seguir o conselho de Tom Watson, o lendário líder da IBM, conhecido como um dos melhores vendedores da história, que certa vez disse: "Eu não sou um gênio, sou esperto em algumas áreas e foco estar envolvido nestas áreas".

Se você está se perguntando por que Jay-Z fazia parte daquele papo, saiba que o marido de Beyoncé Knwoles quebrou o recorde de Elvis Presley e é o cantor que mais vendeu discos no mundo sem fazer parte de uma banda. Em 2011, a *Forbes* avaliou a fortuna pessoal do rapper, que já vendeu mais de 75 milhões de discos, em 450 milhões de dólares.

Jeff Bezzos, bilionário fundador da gigante loja de varejo eletrônica Amazon e dono do jornal *Washington Post*, defende:

> "Um dos grandes erros que as pessoas fazem é que elas tentam forçar um interesse em si mesmas. Você não escolhe suas paixões; suas paixões escolhem você".

Dedicando-se a sua paixão, você irá, essencialmente, aperfeiçoar suas habilidades e dons para se tornar um especialista na sua área. Trabalhando com sua paixão vai ser mais fácil acumular as 10 mil horas que Malcom Gladwell defende serem essenciais para atingir a excelência (tratamos deste tópico no capítulo 1). Pode até parecer óbvio, mas quantas pessoas que você conhece passam realmente a maior parte do seu tempo ocupadas com o que fazem de melhor?

Infelizmente, a maioria nem sabe ao certo quais são os seus talentos e pontos fortes, e muito menos imagina como construir a vida em torno deles. Em vez disso, guiados pelos nossos pais, professores, chefes, e, por que não, até pelo fascínio da psicologia com a patologia, dedicamos demasiado tempo às nossas fraquezas e passamos grande parte da vida tentando lapidar essas falhas, enquanto negligenciamos nossas paixões adormecidas.

Michael Dell, bilionário que com 15 anos desmontou um computador apenas para ver se conseguia reconstruí-lo, afirma: "Se você encontrou sua vocação, ou se você ainda está à procura, a paixão deve ser o fogo que impulsiona o trabalho da sua vida". Encontre suas paixões verdadeiras, aquelas que durarão. Existem paixões passageiras, como muitos aprendem com aquele romance arrebatador nas férias de verão que se torna uma doce memória logo depois do Carnaval. Steve Ballmer, sócio de Bill Gates na Microsoft, sugeriu aos estudantes da Universidade do Sul da Califórnia:

> "Não tenham paixão, tenham tenacidade. Paixão é a capacidade de ficar animado com alguma coisa. Tenacidade é a capacidade de ficar com esta coisa... Você encontra algumas paredes. Você tenta uma fórmula para uma nova ideia, uma inovação, mas não funciona. E é o quão tenaz, o quão otimista e persistente você é, que vai determinar o seu sucesso".

Outro motivo pelo qual não tratamos nossas paixões como prioridade talvez esteja ligado à nossa cultura imediatista. Muitos passam demasiado tempo à procura de atalhos e chegam a estar dispostos a abrir mão de suas paixões para atingir o sucesso rapidamente. Se os benefícios tardarem a se materializar, seja tenaz e lembre-se do que o filósofo-escritor-músico Jean-Jacques Rousseau afirmou: "A paciência é amarga, mas seus frutos são doces".

O bilionário Nick Woodman, criador das câmeras GoPro, disse: "Em um mundo onde todos nós tentamos descobrir o nosso lugar e propósito, suas paixões são um de seus guias mais óbvios". Siga suas paixões e o sucesso vai te seguir. Com paixão é mais fácil encontrar energia, entusiasmo e motivação que são capazes de te levar a lugares que você não pode prever até isso acontecer. Segue um apanhado de dizeres da bilionária Oprah Winfrey para convencê-lo a seguir suas paixões:

"Esqueça o atalho. Se você realmente quer voar, aproveite o poder da sua paixão. Honre o seu chamado. Todo mundo tem um. Confie em seu coração, e o sucesso virá para você".

"Paixão é energia. Sinta o poder que vem de se concentrar no que o excita".

"Você sabe que está no caminho para o sucesso se você aceitasse fazer o seu trabalho e não ser pago por isso".

"Quando você está fazendo o trabalho que você está destinado a fazer, você se sente bem e cada dia é um bônus, independente do quanto você está ganhando".

"Se você trabalhar com o que ama e se preencher, o resto virá".

Para concluir, continuamos subindo nos ombros de gigantes e aprendendo com Steve Ballmer, que teve uma fortuna pessoal avaliada em mais de 20 bilhões de dólares em 2014 e que a mídia americana estima que gastou mais de 2 bilhões de dólares para comprar o time de NBA Los Angeles Clippers:

"As pessoas pensam que a paixão é algo que você tem ou não. Elas pensam que a paixão é algo que tem de se manifestar de algum modo explosivo e emocional. Não é. Paixão é aquilo que você encontra na vida com que pode se preocupar, onde pode investir e se jogar de coração, corpo e alma".

Você pode seguir à risca todos os mandamentos: ter mais prazer em construir do que em ter, ser empregador, andar com tubarões, entender o poder da educação, fazer muitos novos erros, ser sensível a filantropia, viver 100% no presente, mas se você não tiver aquela chama nos olhos, não chegará ao topo. Me perguntaram muitas vezes se os bilionários que conheci são felizes. Eu não sei se sou capaz de dizer se alguém é feliz ou não, mas afirmo com segurança que a maioria absoluta dos bilionários com os quais interagi é entusiasmado e tem aquele brilho nos olhos que vemos em alguém seguindo sua paixão ou em uma criança se divertindo.

Perfil – Carlos Wizard Martins

"Ao longo de minha trajetória aprendi muitas coisas. A mais importante delas é que temos que ter paixão pelo que fazemos. Sem ela seu empreendimento pode até dar certo e ser um sucesso, mas sempre faltará alguma coisa".

A história da família do hoje bilionário Carlos Martins destruirá qualquer falsa percepção de que é necessário vir de berço esplêndido para ter sucesso financeiro. Carlos Martins nasceu e foi criado em Curitiba, o mais velho de sete filhos de um motorista de caminhão e uma costureira. A mãe de Carlos tinha 12 irmãos e aos 10 anos deixou sua família para ser empregada doméstica na casa de uma senhora. Ela nunca mais voltou a morar com sua própria mãe ou família. O pai de Carlos deixou a casa de sua mãe aos 13 anos para ganhar a vida como caixeiro-viajante.

Desde pequeno Carlos ajudava no aumento da miúda renda familiar. O menino precoce, que sempre deu valor ao trabalho e ao esforço, não tinha a menor ideia de que iria se tornar bilionário. Porém, enquanto muitos de seus amigos passavam a maior parte do tempo brincando, ele já se acostumava a trabalhar muito mais do que seus pares. Carlos Martins via oportunidades em todos os lugares e desde a infância trabalhou para ganhar dinheiro facilitando a vida das pessoas. A mãe de Carlos confeccionava roupas infantis em casa e ele, junto com a irmã, as vendia de porta em porta. Já mostrando traços empreendedores, e sempre buscando ganhar mais dinheiro, Carlos pediu ao pai para investir na compra de verduras. Saía de casa com um carrinho de mão cheio e os bolsos vazios, vendendo não só roupas mas também batatas, cenouras, alfaces e outras coisas. O polivalente menino também vendia sorvetes na porta das escolas. Nas férias escolares, Carlos costumava acompanhar o pai nas suas viagens de caminhão. Aos 12 anos, o pai de Carlos o ensinou a dirigir o seu caminhão. Aos 15 anos, ele fez um acordo com o diretor da escola para fotografar seus colegas e vender as fotos a seus pais.

Quando tinha 10 anos, o sonho de consumo do esforçado Carlos era uma bicicleta Caloi, que estava na moda. Não havia ônibus que fizesse o percurso de três quilômetros entre a casa de seus pais e o colégio público onde ele estudava. Então, o diligente menino explicou ao seu pai que ganharia muito tempo se fosse de bicicleta. Contudo, o humilde pai de Carlos lhe comprou uma bicicleta usada, vermelha e feminina que, ainda por cima, não era da sonhada marca Caloi. Carlos virou motivo de chacota por causa de sua bicicleta de menina. Ele relatou que as intermináveis gozações que sofreu por causa de sua delicada bicicleta o ajudaram a desenvolver seus próprios mecanismos de autodefesa, atitude mental e postura emocional que o ajudariam pelo resto da vida. Sempre que precisa lidar com críticas alheias, Carlos lembra-se da sua bicicleta vermelha e segue em frente, focando no que realmente importa.

Uma das características mais marcantes de Carlos é que ele sabe enxergar e agarrar oportunidades. Missionários norte-americanos, os mórmons, certo dia bateram na porta da casa de Carlos procurando por seu pai.

Encurtando uma história longa: aos 12 anos Carlos entrou para a igreja mórmon, aprendeu inglês com os missionários americanos e viu nascer em si o objetivo de ir atrás do "sonho americano". Aos 17 anos, incentivado pelos mórmons, Carlos partiu para os Estados Unidos e seu primeiro emprego em Nova Jersey foi como garçom. Lá, Carlos decidiu oferecer-se como missionário mórmon e foi designado para viver dois anos em Portugal pregando os ensinamentos da religião.

Depois de sua experiência na Europa, Carlos voltou ao Brasil e casou-se com Vânia. Os convites da cerimônia eram de xerox; as fotos, tiradas por amigos; e os docinhos, caseiros. Na época do casamento Carlos tinha rendimentos mensais equivalentes a um salário mínimo. Sua mulher era secretária e ganhava o dobro. Logo vieram os dois primeiros filhos, os gêmeos Lincoln e Charles. O esforçado Carlos não só dava aulas de inglês em cursinhos como também abriu uma lanchonete chamada Chicken House e alugou uma sala comercial para vender sorvetes na rua Mateus Leme, em São Paulo.

Apesar das longas jornadas de trabalho, a família Martins ainda não tinha uma vida estável financeiramente. Então, Carlos optou por uma mudança radical. Motivado por uma bolsa de estudos da Universidade Brigham Young, cujos donos eram mórmons, mudou-se para os Estados Unidos com a mulher e os dois filhos. Carlos formou-se em ciências da computação com notas longe das mais altas da turma, pois ele passava grande parte de seu tempo trabalhando como professor em um centro de língua portuguesa.

Carlos revelou que não foi o único privilegiado pela ajuda dos mórmons, em 2013, afirmou: "Para auxiliar os menos favorecidos, [os mórmons] mantêm um fundo internacional que paga os estudos universitários e até mesmo MBA no exterior de jovens de todo o mundo. Somente no Brasil 15 mil jovens são atendidos por esse fundo de educação da igreja".

Os anos nos Estados Unidos foram positivos, mas Carlos e sua esposa almejavam fortemente retornar e fazer fortuna no Brasil. No último semestre de estudos, Carlos se candidatou para trabalhar em 100 multinacionais com operações no maior país da América Latina. Na época pré-internet, ele teve que enviar pelo correio 100 currículos e 100 cartas de apresentação escritas à mão. Carlos recebeu apenas uma resposta positiva. A Champions International, então uma das maiores empresas do mundo no setor de celulose, o contratou. Carlos ficou 1 ano na matriz nos Estados Unidos antes de ser transferido como executivo internacional para a filial em Mogi Guaçu, no interior de São Paulo.

Carlos levava uma vida confortável no seu novo cargo; vivia em uma grande casa e dirigia um belo carro. Os irmãos gozavam, dizendo: "o vendedor de batatas virou executivo internacional". Apesar da empolgação para subir os degraus da carreira corporativa, o ambicioso Carlos não estava satisfeito com o salário que vinha ganhando. Para ter alguma renda adicional, ele começou a ensinar inglês a um colega de trabalho nas noites de semana. Não tardou muito para que vários colegas começassem a ir a sua casa para aprender inglês. À noite, a mesa de jantar da casa da família Martins transformava-se em sala de aula. Por causa da crescente demanda, até a sua esposa começou a dar aulas. Depois de um tempo, Martins estava ganhando mais dinheiro ensinando inglês do que no seu trabalho.

Carlos começou a ponderar se não valeria mais a pena abandonar o prestígio da carreira corporativa para se dedicar a ensinar inglês. Era uma decisão difícil. Ele tinha medo que aulas de inglês pudessem ser um passo atrás, já que antes de partir para os Estados Unidos e lutar para conseguir seu diploma, ele já ensinava a língua de Shakespeare. Nessa época, em um incidente no banco local, Carlos teve acesso à folha salarial da Champions International. Quando viu o salário do chefe e de toda a gerência, tomou um susto. Achou a quantia muito baixa e até perguntou à caixa se aquilo era a folha semanal, quinzenal ou mensal. A caixa confirmou que se tratava da folha mensal e Carlos percebeu que o poderoso chefão que tinha levado anos para chegar ao topo da corporação, ganhava o que Carlos considerava muito pouco. Instantaneamente, Martins perdeu o desejo de escalar a escada corporativa e percebeu que, para enriquecer, teria de ser dono do próprio negócio. Carlos estava ansioso para empreender, mas sem saber o que fazer. Ele e sua esposa chegaram a fazer uma lista de possíveis empreendimentos que poderiam iniciar.

Algumas semanas depois, Carlos foi chamado para a sala da diretoria. Inesperadamente, o jovem executivo foi mandado embora, pois a empresa estava passando por uma reestruturação. Foi a gota d'água. Carlos não tinha mais desculpas para não dedicar-se 100% ao seu próprio negócio e decidiu apostar todas suas fichas na fundação de uma escola de inglês. Escolheu o nome Wizard em homenagem ao filme *O Mágico de Oz* e o slogan "Aprenda inglês em 24 horas". Enquanto os concorrentes focavam em cursos de longa duração, seu *"new approach"* foi um sucesso.

Muita gente enriqueceu junto com Carlos. Ele tem orgulho de dizer que "em apenas três anos ajudei a formar mais de 100 milionários por meio do sistema de franquia". Fundado em 1987, o Grupo Multi – que englobava as escolas Wizard, Competência, Alpes, Yázigi e outras – tornou-se o líder mundial no ensino bilíngue, com mais de 2.600 escolas franqueadas, gerando mais de 36 mil empregos e ensinando mais de 800 mil alunos.

A Wizard passou por tempos difíceis por causa dos ciclos inflacionários do Brasil, mas cresceu com sucesso graças ao sistema de franquias. Em 2010, o Grupo Multi recebeu um investimento de 125 milhões de dólares do Banco Itaú em troca de uma participação de 15% no capital da empresa, que foi avaliada em cerca de 830 milhões de dólares. Em 2013, os ingleses da Pearson, o maior grupo de educação do mundo e dono do conceituadíssimo jornal britânico *The Financial Times* e da revista *The Economist*, pagaram cerca de 720 milhões de dólares, em dinheiro, para comprar o Grupo Multi de Carlos Martins.

Comprometidíssimo com o trabalho, Carlos Martins até adotou o nome do meio como Wizard, que significa "mago" em inglês, tornando-se Carlos Wizard Martins.

Olhando pelo retrovisor, sua trajetória pode até ter parecido planejada. O jovem já havia passado 5 anos nos Estados Unidos, 2 anos em Portugal, e um período em uma multinacional antes de lançar seu próprio negócio. Mas, a verdade é que a estrada nunca foi clara para o jovem Carlos, que trabalhou arduamente e assumiu riscos enormes até tornar-se um dos 65 bilionários brasileiros da lista de bilionários da *Forbes* de 2014.

Na orelha do livro *As 25 Leis Bíblicas do Sucesso*, Carlos revela que seu versículo favorito é Mateus 7:7: "Pedi e recebereis, buscai e achareis, batei e abrir-se-vos-á". Ele saía de casa bem cedo e quando retornava os filhos já estavam dormindo. Ele se dedicava tanto que uma vez, ao chegar em casa, havia uma carta de sua mulher em cima da mesa, implorando-lhe para trabalhar menos e passar mais tempo com seus filhos. O tempo para descansar viria anos mais tarde. Após a venda do Grupo Multi, que o colocou na lista dos bilionários da *Forbes*, Carlos resolveu tirar um ano sabático.

O grupo Multi não é o único negócio do agora bilionário e sempre trabalhador Carlos Wizard Martins. Ele é dono de várias empresas: Vale Presente, a única instituição brasileira autorizada a emitir cartões da Mastercard; Akatus, intermediador de pagamentos *on-line* e também uma espécie de substituto do dinheiro e cheque; e uma empresa que faz investimentos em ativos imobiliários. Depois de seu período sabático, muitos esperam o inesperado de Carlos, acreditando que ele vá voltar à ativa.

A vida do menino que vendia batatas na infância e virou uma das 65 pessoas mais ricas entre os 200 milhões de brasileiros daria um excelente filme. Ele até chegou a acompanhar a presidente do Brasil, Dilma Rousseff, em viagens à Rússia e à China. Sua biografia, escrita por Ignácio de Loyola Brandão, apareceu na lista dos livros mais vendidos do Brasil por diversos meses. Fechamos com uma lição-chave do mago bilionário brasileiro:

"Você comprovará que riqueza, prosperidade e sucesso estão mais relacionados à sua postura mental – à sua maneira de pensar, acreditar e agir – do que a fatores tangíveis. A riqueza começa dentro de cada um".

■ ATÉ LOGO, TUBARÃO!

Como você já sabe, a primeira lista de bilionários ao redor do mundo da *Forbes* contava com 140 bilionários e foi publicada em 1987. A última lista — até a publicação deste livro — foi publicada em março de 2014, revelando 1.645 pessoas com mais de nove zeros antes da vírgula. Claramente, está emergindo uma nova classe mundial de ultrarricos: o número total de bilionários cresceu mais de 11 vezes em 27 anos. Na China, por exemplo, não havia bilionários em 2003, porém, dez anos depois, existiam 122 bilionários chineses, subindo para 152 em 2014. Quatro países tiveram representantes pela primeira vez na lista de bilionários de 2014: Argélia, Lituânia, Tanzânia e Uganda. Também foi revelada a primeira africana bilionária, Isabel dos Santos, filha do presidente de Angola. Em média, **a *Forbes* revela um novo bilionário a cada 35 horas.** Entre a lista de 2013 e 2014, 238 novos bilionários foram descobertos. Dicas e pistas para suspeitos são sempre bem-vindas, basta entrar em contato com a *Forbes* pelas redes sociais.

A lista de fatores que explicam o aumento no número total de bilionários poderia ser quase infinita e poderíamos ter debates intermináveis sobre a relevância da causa e do efeito de cada item. Algumas justificativas para o aumento exponencial do número de bilionários são: ascensão dos mercados emergentes, crescimento da economia e da população mundial, a Queda do Muro de Berlim, revolução tecnológica, acesso mais fácil à informação e maior transparência etc. Outra causa, menos glamorosa, que ajuda a explicar o crescimento no número de bilionários é a inflação. Se a inflação sair do controle nos Estados Unidos, certamente não será uma boa notícia para a economia mundial, mas o número de bilionários vai disparar. Como qualquer calouro estudante de economia sabe, ter um patrimônio líquido de 1 bilhão de dólares hoje vale muito menos do que ser um bilionário em 1987. Devido ao poder corrosivo da inflação, é necessário 2,06 bilhões de dólares para comprar o mesmo que poderia ser comprado com 1 bilhão de dólares em 1987. Se descontássemos a inflação acumulada para definir a alcunha de bilionário, o número total cairia 48% – 867 bilionários possuem fortuna superior a 2,06 bilhões de dólares.

O Brasil já sofreu o suficiente com hiperinflação e, após as recentes conturbadas eleições presidenciais, esperamos que, se houver aumento considerável de bilionários brasileiros (mesmo que "apenas" em reais) no futuro próximo, que seja resultado da aplicação das oito "regras" descritas neste livro, e não reflexo do descontrole da inflação.

Brincadeiras à parte – e desculpe por repetir o óbvio –, a pedido da minha estimada editora, ressalvo que não posso prometer a ninguém – sobretudo à minha noiva!

– que cumprir as oito "regras" dissecadas aqui fará do leitor um bilionário. Posso garantir, no entanto, que quem segui-las dará passos largos rumo à prosperidade.

Espero que este livro mude o seu mundo e que você passe a reconhecer a influência dos bilionários no seu dia a dia. Espero que esteja nítido que muitos deles **lucram em troca de prazer produzindo, sem que você note, coisas de que você precisa e despertando desejo, atração e vício em outras que você não necessita, mas quando se depara com elas, acha que não pode viver sem. O homem não é produto da necessidade, mas do desejo**. Bilionários enriquecem te vestindo dos pés à cabeça e criando praticamente tudo à sua volta e do seu cotidiano. Agora, pelo menos, você já sabe disso.

Querido(a) tubarão, caso você se torne bilionário(a), entre em contato!

Um bilhão de abraços,

RICARDO GEROMEL

■ BILHÕES DE OBRIGADOS!

Madison Stanford, obrigado! Sem a Madison, este livro não existiria. Espero que enquanto você o lê, minha melhor amiga/parceira em tudo/amor, já tenha um novo sobrenome: Geromel. Não sei como expressar em palavras tanto amor, gratidão e o sentimento de ser tão sortudo! Nem mesmo um livro com um bilhão de páginas seria suficiente para mostrar o quanto te amo. Obrigado!

Agradeço a meus pais, Valmir Geromel e Eliane Tonon Geromel, que me apoiam em tudo, me incentivam a sempre ser eu mesmo, me divertem e são onipresentes na minha vida. O amor entre meus pais é mais inspirador do que qualquer uma das minhas citações favoritas. Agradeço aos pais dos meus pais, Nico e Lulu e Biba e Cacá, pelo amor incondicional. Um bilhão de obrigados não seria suficiente para mostrar o quão grato sou por vocês.

Danke schön, Pedro Geromel! Meu otimista irmão que me ensina que longe é um lugar que não existe e que no final tudo sempre dá certo. Agradeço a Liv, a Lya e a nossa família que não para de crescer. Tenho certeza de que gargalharemos bilhões de vezes juntos.

Thank you (por ordem de nascimento) a minha mais nova e amada família: Bill, Lori, Alyssa, Jen, Riley, Eliana, Sawyer. Espero que este livro os ajude a ficarem ainda mais fluentes na língua de Machado de Assis e que se sintam menos mal por eu encher tanto o saco contando histórias sobre os bilionários. *Thank you* Papa Vern, Carolyn, Dan, Beth Ann, Lisa, Stepher, Elle, and Big D – foi nas férias do Havaí que este livro foi escrito. *Thank you so much* pela inspiração!

Agradeço o apoio e inspiração dos meus grandes amigos, em quem confio de olhos fechados: Rafael Bertani, Paulo Cesso e Rodrigo Kherlakian. Rafa, que, com seu bom humor, incute humildade e leveza em todas as interações. Paulinho, um exemplo de entrega – sou seu fã! Kherlaka, sempre tão fiel na busca de ser o seu melhor! Um dia veremos esse super-homem voando por aí. Vocês personificam os valores que mais admiro: honestidade, fidelidade e transparência. Nossa amizade vale mais do que quaisquer bilhões, obrigado!

Agradeço a um dos meus mais recentes amigos de infância, Antônio Ribeiro. Conhecemo-nos há aproximadamente seis anos, mas o Luquinhas já cresceu demais nesse período, hein? Conte sempre comigo, estarei presente em todas as fases do amado filhão! Impossível não sorrir ao me lembrar de Antônio, Lucas e de nossa maestra Adriana Regina Socci Barbosa. Não os teria conhecido se não fosse pelo *gentleman* Antonio Vicente Dallamagnana – meu mentor, mestre e amigo. *Merci Beaucoup*!

Agradeço a minha afilhada Sophia, especialista em me fazer sorrir e me sentir especial e inspirado. Obrigadão a Rodrigo Luis Fonseca de Almeida e Mimi, que sempre me acompanharam em tudo nessa jornada. Impossível imaginar minha vida sem vocês!

Karina Almeida e Sandro Macedo foram os que mais me incentivaram a realmente dizer "sim" para a aventura deliciosa que foi escrever este livro. Guilherme Costa, meu amigo de pelada, obrigado por tudo!

O mais engraçado de todos os meus amigos é Pedro Merlin, que diz: "Já sou bilionário! Pelo menos em centavos em alguma moeda africana". Nunca conheci alguém mais criativo do que o Pedro. Quando preciso de algo brilhante e rápido, sempre apelo para ele. Grande parte das imagens deste livro nasceu de um papo com ele – e da sempre presente Madison, claro! – em um domingo à noite.

André Liberal, que executou todos os *cartoons* presentes no livro, obrigado! A diligência de André impressiona! Ele é excelente, rápido e conseguiu traduzir o que eu concebi em imagens fortes. Indico fortemente o trabalho dele.

Thanks para as editoras da revista *Forbes* Luisa Kroll e Kerry Dolan. Elas foram, sem dúvida, as melhores chefes que já tive! Brilhantes, divertidas, inteligentíssimas, rápidas e confiáveis! Aprendi com elas não só sobre bilionários, mas sobre a vida e como ser um líder inspirador. *Always count on me*! *Thanks* para todos os amigos da *Forbes*! Agustino Fontevecchia: meu irmão e ídolo; Steven Bertoni: o Kaká da redação; Brian Solomon: que ainda vai aprender a amar o futebol sem bola oval; Ryan Mac, o craque de São Francisco, e sua namorada Maggie; Sean Kilachand: que partiu da "equipe da riqueza" para mudar-se para o Brasil, me deixando alguns bilionários do setor imobiliário e infinitas dores de cabeça; Caroline Howard: sou seu fã e sempre serei grato por tudo; Jeff Bercovici: que me introduziu ao *soccer co-op*; Clare O'Connor: amiga que sabe festejar; Randall Lane: o poderoso chefão que *walk the talk* e, graças ao seu comportamento diário, faz com que quem está na *Forbes* se sinta como em uma *start-up* (apesar da revista ter sido fundada há 97 anos!); Lewis DVorkin: sua brutal honestidade e visão tão clara são exemplos quase utópicos; Mike Federle: sinto-me sortudo de ter passado tanto tempo contigo — seus ensinamentos ecoam dentro de mim e se um dia eu conseguir mudar o mundo, com certeza você terá feito parte disso.

Yves Pache, suíço de alma brasileira que foi meu chefe na Noble Group e me socorreu em um dos momentos mais sombrios da minha breve jornada. Obrigadíssimo, *mon ami*!

Gracias mi hermanos Agustino Fontevecchia, Esteban Blanco y Fernanduli! Apostei com Agustino que se o Brasil chegasse mais longe do que a Argentina na Copa do Mundo, *el capo* teria de ficar careca. Caso contrário, eu teria de deixar o cabelo crescer. Resultado: hoje tenho *mullets*! Steve White, como te *quiero chinchulin*! Você sabe viver! Fernanduli, carioca-argentino, que tem mais intimidade com a bola do que a absoluta maioria de jogadores profissionais. Ao me formar em 2008, criei um objetivo pessoal de ver cada um desses irmãos todos os anos.

Javier Perez e Kemal Yalcinkaya, obrigado! Talvez um dia eu siga o conselho de vocês e pare de fazer um bilhão de "*big things*" para viajarmos mais. Um bilhão de abraços saudosos!

הבר הדות, André Kaufmann! Mentor e amigo, que sempre vou querer por perto e que me introduziu ao capitalismo consciente e a tantas das melhores coisas da vida.

Bilhões de obrigados aos amigos de infância que são mais do que família: Eduardo Yah, Vinicius Bebê e Michelle Ieffa. Mané e Teco, que sempre serão como pais para mim (talvez os pais mais brincalhões da história). Obrigadão, Rodrigo Ribeirinha, sempre estaremos juntos! Emiliano Abad, meu salva-vidas, e Felipe Araújo, sempre sorrio ao me lembrar de você!

Agradeço a minha acelerada amiga topa-tudo Maria João, que personifica a proatividade; ao nosso espanhol e vizinho de Atibaia Pascoal; à Leila que me convenceu a assinar com a LeYa e à marqueteira sorridente Carol. Obrigado! Sem essa turma, este livro não existiria!

Termino afirmando que se a Madison ganhasse um centavo por cada vez que eu penso nela, ela seria a pessoa mais rica do mundo. (Em 31 de outubro de 2014 a fortuna de Gates passou de 81 bilhões de dólares).

Bilhões de obrigados a todos os tubarões!

Referências Bibliográficas

Introdução

Artigo da renomadíssima revista *The New Yorker* sobre as ações da multinacional brasileira Vale na Guinéa.

Keefe, PR. *Two Mining Behemoths Battle an Israeli Billionaire.* 2014. Disponível em: <http://www.newyorker.com/news/news-desk/two-mining-behemoths-battle-an-israeli-billionaire>. Acessado em junho de 2014.

Artigo da revista *Piauí* sobre as ações da Vale na Guinéa.

Dieguez, C. *Risk Contract.* 2014. Disponível em: <http://revistapiaui.estadao.com.br/edicao-90/business-in-africa-ii/risk-contract>. Acessado em março de 2014.

Millenium Project. *Fast Facts: The Faces of Poverty.* Disponível em: <http://www.unmillenniumproject.org/documents/3-MP-PovertyFacts-E.pdf>. Acessado em setembro de 2014.

Meus artigos em português:

Geromel, R. *Caridade e Curtição: Como o Príncipe Bad Boy Está Vivendo a Copa e o Brasil.* 2014. Disponível em: <http://copadomundo.uol.com.br/noticias/redacao/2014/06/25/caridade-e-curticao-como-o-principe-bad-boy-esta-vivendo-a-copa-e-o-brasil.htm>. Acessado em setembro de 2014.

Geromel, R. *Como um Bilionário Curte a Copa do Mundo.* 2014. Disponível em: <http://copadomundo.uol.com.br/noticias/redacao/2014/07/02/como-um-bilionario-curte-a-copa-do-mundo.htm>. Acessado em setembro de 2014.

Capítulo 1

Artigo da revista *Exame* sobre Jorge Paulo Lemann antes de ser o homem mais rico do mundo; já era evidente que não era dinheiro que o motivava.
Vassalo, C. *A vida depois do Garantia*. 1998. Disponível em: <http://exame.abril.com.br/revistaexame/edicoes/0672/noticias/a-vida depois-do-garantia-m0053741>. Acessado em julho de 2014.

Artigo sobre Edson Bueno, bilionário fundador da Amil.
Geromel, R. *Worried About Obamacare? Meet The Brazilian Billionaire Who Rules UnitedHealth Group*. Disponível em: <http://www.forbes.com/sites/ricardogeromel/2013/11/19/worried--about-obamacare-meet-the-brazilian-billionaire-who-rulesunited health-group/>. Acessado em setembro de 2014.

Best-seller mundial do filho de Warren Buffett. Peter defende que a forma como abrimos caminhos e perseveramos nos momentos de desafio é como começamos a criar a vida dos nossos sonhos – a descobrir as nossas vocações para concretizar a felicidade de restituir aos outros. Este é um livro acerca de transcender as circunstâncias de cada um, tomar as rédeas do seu destino e viver uma vida no seu máximo de plenitude.
Buffett, P. *A vida é o que você faz dela*. Rio de Janeiro: Best-Seller, 2011.

Best-seller que responde à seguinte questão: o que torna algumas pessoas capazes de atingir um sucesso tão extraordinário e peculiar a ponto de serem chamadas de "fora de série"?
Gladwell, M. *Fora de Série - Outliers*. Rio de Janeiro: Sextante, 2008.

Best-seller sobre *mindset* multimilionário. Escrito na década de 1920 e já vendeu mais de 2 milhões de cópias ao redor do mundo. Meu conto favorito está na página 66 na versão gratuita do livro, que pode ser encontrada no Google Books.
Clason, G. S. *O Homem Mais Rico da Babilônia*. Disponível em: <http://books.google.com.br/books?id=HOEYaZ9EckC&printsec=frontcover&source=gbs_ge_summary_r&cad=0#v=onepage&q&f=false>. Acessado em setembro de 2014.

Bilionário George Joseph revela que usa o mesmo terno há 25 anos e muito mais (a partir do minuto 1:28).

Cuda, H. *Saving the California Dream spotlights George Joseph of Mercury Insurance*. Disponível em: <http://www.youtube.com/watch?v=rr58oZXuj6Q>. Acessado em julho de 2014.

Conferência da *Forbes* sobre filantropia. Bilionários revelam como educam seus filhos.
Billionaires? Try Well-Grounded Heirs. Disponível em: <http://www.forbes.com/video/2670738643001/>. Acessado em julho de 2014.

Entrevista de Edson Bueno a Silvana Case, vice-presidente executiva da Catho e responsável pela edição semanal do *newsletter* Carreira & Sucesso, enviado a mais de 3 milhões de pessoas. Disponível em: <http://quererempreender.blogspot.com.br/2007/12/edson-de-godoy-bueno-exemplo-de-superao.html>. Acessado em julho de 2014.

Explicação do *site* oficial do Prêmio Nobel sobre por que Gary S. Becker ganhou o Nobel de Economia.
Nobel Media AB 2014. The Prize in Economics 1992 – Press Release. 2014. Disponível em: <http://www.nobelprize.org/nobel_prizes/economic-sciences/laureates/1992/press.html>. Acessado em setembro de 2014.

Extensa biografia com mais de 900 páginas sobre o segundo americano mais rico e um dos meus bilionários favoritos.
Schoreder, A. *A Bola de Neve: Warren Buffett e o Negócio da Vida*. Rio de Janeiro: Sextante, 2008.

Marcante discurso de formatura na Universidade de Stanford, em 2005, do bilionário Steve Jobs, o gênio criativo por trás da Apple. Disponível em: <http://www.youtube.com/watch?v=VHWUCX6osgM>. Acessado em julho de 2014.

O livro do bilionário megainvestidor Howard Marks é recomendadíssimo por Warren Buffett, que disse: "Quando eu vejo memorandos de Howard Marks no meu e-mail, eles são a primeira coisa que eu abro para ler. Eu sempre aprendo alguma coisa, e isso vale em dobro para o seu livro... [que é] uma raridade em sua utilidade".
Marks, H. *The Most Important Thing: Uncommon Sense for the Thoughtful Investor*. Columbia Business School Printing, 2011.

Perfil de Gustavo Caetano, fundador do SambaTech, pela *MIT Technology Review*. Disponível em: <http://www.technologyreview.com.br/tr35/profile.aspx?trid=1460>. Acessado em setembro de 2014.

Perfil do meu bilionário gastão favorito, Steve Rah Rah. Vai ser difícil não lembrar do clássico *The Great Gatsby* ao ler o artigo escrito por meu amigo Caleb Melby, que saiu da *Forbes* para trabalhar na Bloomberg, do bilionário ex-prefeito de Nova York.
Melby, C. *Guns, Girls And Sex Tapes: The Unhinged, Hedonistic Saga Of Billionaire Stewart Rahr, 'Number One King Of All Fun'.* 2013. Disponível em: <http://www.forbes.com/sites/calebmelby/2013/09/17/guns-girls-and-sex-tapes-the-saga-of-billionaire--stewart-rahr-number-one-king-of-all-fun/>. Publicado em 17 de setembro de 2013.

Relato da história de vida do fundador da Amil, Edson de Godoy Bueno.
Giobbi, C.; Sarquis, K. *Opinião: Amil – Uma vida que dá um filme.* 2008. Disponível em: <http://saudebusiness 365.com.br/noticias/detalhe/10962/opiniao-amil-uma-vida-que-da-um-filme>. Acessado em julho de 2014.

Restaurante favorito de Warren Buffett, caso o leitor visite:

Gorat's Steakhouse
4917 Center St, Omaha, NE 68106
(402) 551-3733

Capítulo 2

50 citações do homem mais rico do mundo. Vale a pena decorar cada uma!
Hudspeth, C. *50 Quotes from the Wealthiest Man in America.* Disponível em: <http://www.investinganswers.com/education/famous-investors/50-quotes-wealthiestman-america-3088>. Acessado em julho de 2014.

Artigo do próprio Steve Forbes sobre a importância da prosperidade dos empreendedores para a economia mundial.

Forbes, S. *Why the Left Should Love Big Profits*. Disponível em: <http://www.forbes.com/sites/steveforbes/2014/05/07/profit-is-indispensable-for-prosperity/>. Acessado em setembro de 2014.

Artigo sobre a conferência da *Forbes* para bilionários na sede da ONU, redigido pela minha colega e amiga Erin Carlyle.

Carlyle, E. *Muhammad Yunus And 'A Cinderella Moment' At The Forbes Philanthropy Summit*. Disponível em: <http://www.forbes.com/sites/erincarlyle/2013/11/17/muhammad-yunus-and-acinderella-moment-at-the-forbes-philanthropy-summit/>. Acessado em julho de 2014.

Biografia do improvável bilionário Bruce Halle, que enriqueceu vendendo pneus.

Rosenbaum, M. *Six Tires, No Plan: The Impossible Journey of the Most Inspirational Leader That (Almost) Nobody Knows*. Texas: Greenleaf Book Group Press, 2012.

Eli Broad incentiva estudantes a serem artistas em palestra aos formandos de artes e arquitetura da Universidade da Califórnia.

Broad, E. *UCLA School of Arts and Architecture Commencement Address By Eli Broad*. Disponível em: <http://www.broadeducation.org/news/speeches_commentary/2006-0617.html>. Acessado em julho de 2014.

Entrevista com Steve Forbes, o chefão da *Forbes* que concorreu à presidência dos EUA duas vezes. O autor da entrevista é o cofundador da Singular University, que ministra cursos dentro das premissas da NASA.

Diamandis, P. *Steve Forbes' Advice on Innovation and Corporate Mindset*. Disponível em: <http://www.huffingtonpost.com/peter-diamandis/steve-forbes-advice-on-in_b_3156675.html>. Acessado em julho de 2014.

Livro do bilionário fundador da Starbucks, Howard Schultz, escrito com Dori Jones Yang, repórter da *BusinessWeek*. Revela como a Starbucks transformou-se em uma multinacional multibilionária de xícara em xícara.

Schultz, H.; Yang, D.J. *Dedique-se de Coração - Como a Starbucks se Tornou uma Grande Empresa de Xícara em Xícara*. São Paulo: Negócio Editora, 1999.

Livro que ficou em primeiro lugar na lista de mais vendidos do *New York Times* e que chegou a ser distribuído a recém-formados da prestigiosa Universidade Stanford.
Hoffman, R; Casnocha, B. *The Start-up of You: Adapt to the Future, Invest in Yourself, and Transform Your Career*. New York: Crown Business, 2012.

Ranking do Banco Mundial sobre onde é mais fácil fazer negócios. Brasil está em 116° lugar entre 189 países.
World Bank Group. *Ease of doing business in Brazil*. Disponível em: <http://www.doingbusiness.org/data/exploreeconomies/brazil/>. Acessado em julho de 2014.

Vale a pena conhecer mais sobre George Bernard Shaw, que recebeu o prêmio Nobel de Literatura em 1925 e é considerado o fundador do teatro moderno inglês. Uma das suas frases que mais me impactaram é: "A sabedoria dos homens é proporcional não à sua experiência, mas à sua capacidade de adquirir experiência".
Nobel Media AB 2014. *George Bernard Shaw - Biographical*. Disponível em: <http://www.nobelprize.org/nobel_prizes/literature/laureates/1925/shaw-bio.html>. Acessado em agosto de 2014.

Capítulo 3

A seguir uma compilação dos meus artigos favoritos sobre o homem mais rico do Brasil e seus dois inseparáveis sócios Telles e Sicupira:

Araújo, C. *Jorge Paulo Lemann: No tênis aprendi que para ser bom é preciso treinar e aprender as oportunidades*. Disponível em: <http://www.napratica.org.br/inspire-se/bate-papo-com-jorge paulo-lemann/>. Acessado em setembro de 2014.

Aula magna com Jorge Paulo Lemann – Curso de Graduação em Administração da FGV/EBAPE. Disponível em: <https://www.youtube.com/watch?v=xotaoN4oLOs&index= 9&list=UU8DhN--1cJioQklBQot5hv_kg>. Acessado em setembro de 2014.

Azevedo, J. R. S. *Onde está o mal?* Disponível em: <http://www.ribamarazevedo.com.br/leitura-recomendada-nao-cientifica/>. Acessado em setembro de 2014.

Carreiro, M. N. *Jorge Paulo Lemann: Um Império Construído com Disciplina e Obsessão*. Disponível em: <http://www.jornalopcao.com.br/posts/reportagens/jorge-paulo-lemann-um-imperio-construido-com-disciplina-e-obsessao>. Acessado em setembrode 2014.

Cuadros, A. *Jorge Lemann: He Is ... the World's Most Interesting Billionaire*. Disponível em: <http://www.businessweek.com/articles/2013-08-29/the-brazilian-billionaire-who-controls-your--beer-your-condiments-and-your-whopper>. Publicado em 29 de agosto de 2013.

Exame.com. *Entrevista com o bilionário brasileiro Marcel Telles*. Disponível em: <http://www.youtube.com/watch?v= MvxxYuNwUzA>. Publicado em 24 de julho de 2009.

Fernandes, T. *O maior risco é não se arriscar, diz Jorge Paulo Lemann*. Disponível em: <http://veja.abril.com.br/noticia/economia/o-maior-risco-e-nao-se-arriscar-diz-jorge-paulo-lemann>. Acessado em setembro de 2014.

Fundação Estudar. *Jorge Paulo Lemann – O que aprendi em Harvard (1/2)*. Disponível em: <http://www.youtube.com/watch?v=rhaeYj7clno>. Publicado em 8 de fevereiro de 2012.

Geromel, R. Buffet: *'Lemann is my professor.' Brazil's Richest Owns Burger King, Budwiser, Heinz, and more*. 2013. Disponível em: <http://www.forbes.com/sites/ricardogeromel/2013/03/ 07/buffett-lemann-is-my-professor-brazils-richest-owns-burger--king-budweiser-heinz-and-more/>. Acessado em setembro de 2014.

Geromel, R. *From Havard Slacker To Wimbledon To Buffet's Professor And Partner: Meet Lemann, Brazil's Richest*. Disponível em: <http://www.forbes.com/sites/ricardogeromel/2013/03/15/from-harvard-slacker-to-wimbledon-to-buffetts-professor-and-partner-meet-lemann-brazils-richest/>. Acessado em setembro de 2014.

Geromel, R. *Warren Buffett Professor Teaches 12 Steps To Financial Success*. Disponível em: <http://www.forbes.com/sites/ricardogeromel/2013/03/27/warren-buffetts-professor-teaches-12-steps-to-financial-success/>. Publicado 27 de março de 2013.

Revista de pesca submarina que mostra, na página 13, que Carlos Alberto Sicupira capturou o quarto maior peixe da história em pesca submarina: um Blue Marlin de 664 libras. Revista *Spearfishing Downunder Magazine* – Edição 10. Disponível em: <http://issuu.com/spearmag/docs/issue_10_>. Acessado em setembro de 2014.

Teixeira, A; Hassel, C. *O Legado de Lemann*. Disponível em: <http://epocanegocios.globo.com/Revista/Epocanegocios/0,,EDR82833-8374,00.html>. Acessado em setembro de 2014.

Apesar de serem discretos, há muitos artigos sobre Jorge Paulo Lemann e seus sócios Beto Sicupira e Marcel Telles. Esta é uma biografia do trio bilionário muito bem escrita por uma jornalista que acompanhou a carreira deles por mais de uma década.

Correa, C. *Sonho Grande*. Rio de Janeiro: Sextante, 2013.

Artigo escrito pelo lendário guru Jim Collins, autor de *best-sellers* sobre a longevidade de empresas.

Collins, J. *Good to Great*. Disponível em: <http://www.fastcompany.com/43811/good-great>. Acessado em setembro de 2014.

Artigo sobre bilionário de Hong Kong que ofereceu 128 milhões de dólares para o homem que conseguir seduzir e casar com sua filha lésbica.

Harjani, A. *Hong Kong billionaire to double dowry for gay daughter*. 2014. Disponível em: <http://www.cnbc.com/id/101360594>. Publicado em 23 de janeiro de 2014.

Dentre os 1.645 bilionários presentes na lista da *Forbes* de 2014, apenas 32 mulheres foram responsáveis por construir a própria fortuna. Sheryl Sandberg é um exemplo de mulher bilionária que acumulou fortuna graças a seu trabalho e não a laços familiares. Ela é autora de um livro que incentiva mulheres a não abrirem mão de seus objetivos profissionais e, nos Estados Unidos, foi um daqueles *best-sellers* sobre o qual falam.

Sandberg, S. *Lean In: Women, Work, and the Will to Lead*. New York: Knopf, 2013.

É tradição nos Estados Unidos convidar personagens ilustres para fazer discursos para os recém-formados. Michael Dell inspira, emociona e ensina nesta palestra de 2003 na Universidade do Texas. Aprecie sem moderação!

Dell, M. S. *Commencement Adress*. Disponível em: <http://www.utexas.edu/commencement/2003/spring/speech.html>. Acessado em setembro de 2014.

Editores da *Fortune* listaram uma década de conselhos de líderes, muitos deles são bilionários. Fortune Editors. The Best of our Best Advice. Disponível em: <http://fortune.com/2012/10/25/the-best-of-our-best-advice/>. Publicado em 25 de outubro de 2012.

Participar dos eventos organizados por João Dora Jr. com certeza vai engordar sua agenda de contatos importantes. Em 2014, ele organizou jantares para Aécio Neves e Eduardo Campos. João Doria Jr. me confidenciou que ele levou Pelé para festejar com Malcom Forbes, o boêmio idealizador da lista dos bilionários.

Brazil Foundation. Disponível em: <http://www.brazilfoundation.org/english/index.php>. Acessado em setembro de 2014.

Grupo Doria. LIDE. Disponível em: <http://www.lidebr.com.br/>. Acessado em setembro de 2014.

Perfil do bilionário Peter Thiel. Tão bem escrito que é grande o risco de deprimir leitores com aspirações de um dia serem escritores.

Packer, G. *No Death, no Taxes*. Disponível em: <http://www.newyorker.com/magazine/2011/11/28/no-death-no-taxes?currentPage=all>. Publicado em 28 de novembro de 2011.

Sam Walton, fundador da varejista Wallmart, marcou seu nome na história criando uma das maiores fortunas da história. Antes de morrer, ele escreveu uma biografia cheia de pérolas como "nos negócios, indivíduos nunca ganham, são equipes que vencem".

Walton, S.; Huley, J. *Made In America*. Nova York: Bantam Books, 1993.

Steve Case, bilionário fundador da América Online (AOL), é engajadíssimo na missão de ajudar o próximo. Mais uma daquelas palestras para recém-formados que buscam inspirar e motivar.

Chhabra, S. S. *Steve Case 2009 GMU Commencement Speech: People, Passion and Perseverance*. Disponível em: <http://casefoundation.org/blog/steve-case-george-mason-university-commencement-speech>. Acessado em setembro de 2014.

Capítulo 4

A Fundação Educacional George Lucas (GLEF) documenta e divulga as aulas mais emocionantes em que essas inovações estão ocorrendo.

Edutopia. Disponível em: <http://www.edutopia.org/>. Acessado em setembro de 2014.

Artigo sobre a evaporação da riqueza de Eike Batista.

Geromel, R. *Biggest Loser Of The Year, Eike Batista Lost More Than $2 million Per Hour*. Disponível em: <http://www.forbes.com/sites/ricardogeromel/2013/03/04/biggest-loser-of-the-year-eike-batista/>. Acessado em setembro de 2014.

Conheça melhor a única autora a ter ingressado na lista de bilionários da *Forbes* nesta palestra que ela deu para recém-formados de Harvard em 2008: Rowling JK.

Text of J.K. Rowling's Speech. Disponível em: <http://news.harvard.edu/gazette/story/2008/06/text-of-j-k-rowling-speech/>. Acessado em setembro de 2014.

Lista de citações do gênio literário Mark Twain.

Nastasi, A. *25 Fabulously Cranky Mark Twain Quotes*. Disponível em: <http://flavorwire.com/427423/25-fabulously-crankymark--twain-quotes>. Acessado em setembro de 2014.

Listas de bilionários que não terminaram a faculdade.

Isaac, C. *Forbes 400: The Self-Made Billionaire Entrepeneurs Who Said No to College*. Disponível em: <http://www.forbes.com/sites/worldviews/2011/09/23/forbes-400-the-self-made-billionaire--entrepreneurs-who-said-no-to-college/>. Acessado em setembro de 2014.

O bilionário fundador da Paypal, Peter Thiel, recruta jovens para desistirem de ir atrás de um diploma e focarem em criar uma empresa lucrativa.

Thiel Fellowship. Disponível em: <http://www.thielfellowship.org/>. Acessado em setembro de 2014.

Os amantes da velocidade vão se deliciar com a exposição de carros de Ralph Lauren no museu de Boston.

Speed, Style and Beauty – Cars from the Ralph Lauren Collection. Disponível em: <http://www.mfa.org/exhibitions/speed-style-and--beauty>. Acessado em setembro de 2014.

Site de Flávio Augusto com ferramentas para empreendedores (em reais).
Geração de Valor. Disponível em: <http://www.geracaodevalor.com.br>. Acessado em setembro de 2014.

Vídeo de entrevistas com Joseph Campbell, especialista em mitos e autor dos livros *The Masks of God* e *The Hero with a Thousand Faces*. Campbell era um amigo de George Lucas e inspirou a criação do personagem Luke Skywalker. Disponível em: <https://www.youtube.com/watch?v=zSWcIcOcDvU>. Publicado em 18 de novembro de 2013.

Capítulo 5

B. C. Forbes, criador da revista *Forbes*, entrevista Thomas Edison.
Forbes, B. C. *Why Do So Many Men Never Amount to Anything?* Disponível em: <http://library.syr.edu/digital/guides/f/forbes_bc.htm>. Acessado em setembro de 2014.

Clássico absoluto da autoajuda financeira. A primeira vez que li esta poderosa obra foi no final de 2006, seguindo o conselho de um professor. O autor compartilha resultados de 25 anos de pesquisas com mais de 500 empresários bem-sucedidos financeiramente nas décadas de 1910 a 1930.
Hill, N. *Pense e Enriqueça*. Meriden: The Ralston Societ, 1938.

Conheça melhor a história da ex-bilionária J.K. Rowling, contada por ela mesma na palestra que deu para os recém-formados de Harvard.
Rowling, J. K. *Text of J.K. Rowling's Speech*. Disponível em: <http://news.harvard.edu/gazette/story/2008/06/text-of-j-k--rowling-speech/>. Acessado em setembro de 2014.

Endeavor, uma das instituições que mais apoia empreendedorismo no mundo, publica a ode ao fracasso de autoria do príncipe da internet.

Rodrigues, R. *A Cultura do Fracasso*. Disponível em: <http://www.endeavor.org.br/artigos/start-up/aprendendo-a-seremp reendedor/a-cultura-do-fracasso. Acessado em setembro de 2014.

Michael Jordan é o único atleta bilionário, de acordo com a *Forbes*. O artigo a seguir explica o porquê e como.

Ozanian, M. *Michael Jordan is a Billionaire After Increasing Stake in Hornets*. Disponível em: <http://www.forbes.com/sites/mike-ozanian/2014/06/12/michael-jordan-is-a-billionaire-after-increasing-stake-in-hornets/>. Acessado em setembro de 2014.

Na página 54, o autor revela ensinamentos preciosos de Walt Disney.

Tanghe, G. *Pearls: Philosophies for Living a Robust and Fulfilling Life*. Minnesota: Expert Pub, 2004.

O bilionário dono do Orlando Magics reflete sobre seus sentimentos depois de passar com sucesso por uma operação de transplante de coração em 1997.

DeVos, R. *Hope From My Heart: Ten Lessons For Life*. Nashville: Thomas Nelson, 2000.

O *site* de Abílio Diniz é rico em informações sobre o bilionário brasileiro. Disponível em: <http://abiliodiniz.uol.com.br/eu-abilio/frases/frases.htm#>. Acessado em setembro de 2014.

Para quem gosta de saber os detalhes da vida (e da morte) dos ricos e famosos, vale a pena conferir a obra do festeiro criador da lista de bilionários da *Forbes*, que tem muitas histórias para contar. Algumas que você não vai querer contar para as crianças.

Forbes, M. S.; Bloch, J. *They Went That-A-Way: How the Famous, the Infamous, and the Great Died*. NY: Ballantine, 1988.

Paul Though, que escreve para a *New York Times Magazine*, revela como as crianças atingem o sucesso.

Though, P. *How Children Succeed*. NY: Houghton Mifflin Harcourt, 2013.

Perfil de Romero Rodrigues pela *Forbes Brasil*. Quer entender o cenário digital do Brasil? É essencial entender os seus personagens-chave e Rodrigues é sem dúvida um deles.

Terzian, F. *O Pequeno Príncipe da Internet: a Carreira de Romero Rodrigues, criador do Buscapé*. Disponível em: <http://forbes-brasil.br.msn.com/negocios/o-pequeno pr%C3%ADncipe-da-internet-a-carreira-de-romero-rodrigues-criadordobuscap%C3%A9>. Acessado em setembro de 2014.

Perfil do fundador da câmera GoPro escrito por meu amigo Ryan Mac, que voou com o jovem bilionário para redigir este artigo.
Mac, R. *The Mad Billionaire Behind GoPro: The World's Hottest Camera Company*. Disponível em: <http://www.forbes.com/sites/ryanmac/2013/03/04/the-mad-billionaire-behindgopro-the--worlds-hottest-camera-company/>. Acessado em setembro de 2014.

Qual é o seu erro favorito? O bilionário Paul Allen, que estudou com Bill Gates no ensino médio, revela qual é o erro favorito dele em excelente artigo. Vale a pena ler a resposta de outros figurões.
Allen, P. *My Favorite Mistake: Paul Allen*. Disponível em: <http://www.newsweek.com/my-favorite-mistake-paul-allen-66489>. Acessado em setembro de 2014.

Seleção de comentários de Mark Cuban durante o programa Shark Tank.
Joshan, B. *Mark Cuban in Shark Tank*. Disponível em: <https://www.youtube.com/watch?v=trg6_DzQky4>. Acessado em setembro de 2014.

Capítulo 6

Jeffrey Sachs, conceituadíssimo economista, afirma que poderemos ver na nossa geração o fim da miséria.
Sachs, J. *O Fim da Pobreza*. São Paulo: Companhia das Letras, 2005.

Lista com *websites* que vão te ajudar a ter impacto filantrópico sem ser rico.
Pereira, E. *You Don't Have to Be Rich to Make An Impact: a Guide to Crowdfunding*. Disponível em: <http://www.forbes. com/sites/

evapereira/2012/09/18/you-dont-have-to-be-rich-to-makean-impact-a-guide-to-crowdfunding/>. Acessado em setembro de 2014.

O artigo que mexeu com Bill e sua esposa Melinda Gates. O autor deste artigo, com certeza, teve um impacto gigantesco no mundo.

Kristof, N. D. *For Third World, Water Is Still a Deadly Drink*. Disponível em: <http://www.nytimes.com/1997/01/09/world/forthird-world-water-is-still-a-deadly-drink.html>. Acessado em setembro de 2014.

O Instituto Lula relata encontro entre o ex-presidente Lula e Bono Vox, vocalista da banda U2.

Instituto Lula. *Bono Desafia Lula: Vamos Fazer Juntos um Bolsa Família Planetário*. Disponível em: <http://www.institutolula.org/bono-desafia-lula-vamos-fazer-juntos-um-bolsa-familia--planetario>. Acessado em setembro de 2014.

O jornal *Financial Times* apresenta o *ranking* das melhores universidades com curso de *business management*.

Masters in Management. Disponível em: <http://rankings.ft.com/businessschoolrankings/masters-in-management-2013>. Acessado em setembro de 2014.

Site da iniciativa de Buffett e do casal Gates para que bilionários doem mais da metade de suas fortunas. Disponível em: <http://givingpledge.org/>. Acessado em setembro de 2014.

Steven Bertoni, um dos meus jornalistas favoritos, traça o perfil do James Bond da filantropia.

Bertoni, S. *Chuck Feeney: The Billionaire Who Is Trying To Go Broke*. Disponível em: <http://www.forbes.com/sites/stevenbertoni/2012/09/18/chuck-feeney-the-billionaire-who-is-trying-to--go-broke/>. Acessado em setembro de 2014.

Todos os anos, o homem mais rico do mundo escreve uma carta aberta para o mundo, que deveria ser leitura obrigatória para crianças de 5 a 125 anos.

2014 Gates Annual Letter. Disponível em: <http://annualletter.gatesfoundation.org/>. Acessado em setembro de 2014.

Um resumo da improvável história da família do criador do Banco Bradesco, que mais parece uma novela mexicana.
Geromel, R. *The Soap Opera Behind the Billionaire Heirs of Bradesco, One of Brazil's Largest Banks.* Disponível em: <http://www.forbes.com/sites/ricardogeromel/2013/04/01/the-soap-opera-behind-the-billionaire-heirs-of-bradesco-one-of-brazils-largest-banks/>. Acessado em setembro de 2014.

Vídeo sobre promoção filantrópica do canal japonês Paraíso TV no evento *Erotismo salvará o mundo*, que foi transmitido ao vivo *on-line* durante 24 horas.
Jauregui, A. *Charity Breast Squeeze: Japanese Porn Channel Throws Interactive Benefit For STOP! AIDS (VIDEO).* Disponível em: <http://www.huffingtonpost.com/2012/08/31/charity-breast-squeeze-japan-video_n_1846595.html>. Acessado em setembro de 2014.

Warren Buffett e Jon Bon Jovi fazem um dueto marcante.
Warren Buffett & Jon Bon Jovi: A Ukulele Duet For Charity. Disponível em: <http://www.youtube.com/watch?v=nCm5-2UN2Ms>. Acessado em setembro de 2014.

Warren Buffett, um dos meus bilionários favoritos, deu declarações públicas elogiando o homem mais rico do Brasil. Especula-se que os dois bilionários reunirão forças para assumir o controle de uma das empresas mais icônicas dos Estados Unidos, a Coca-Cola.
De La Merced, M. J. *At Berkshire Annual Meeting, Questions for Buffet About Coca-Cola and Deals.* Disponível em: <http://www.dealbook.nytimes.com/2014/05/03/at-berkshire-annual-meetingquestions-for-buffett-about-coca-cola-and-deals/?_php=true&_type=blogs&_r=0>. Acessado em setembro de 2014.

Capítulo 7

Autobiografia do bilionário brasileiro Abílio Diniz.
Diniz, A. *Caminhos e Escolhas.* Rio de Janeiro: Campus, 2004.

Best-seller mundial cheio de pérolas, como "Não importa quantas pessoas você supervise, tem só uma pessoa a qual você poderá

modificar: você mesmo". Escrito por Dr. Covey, MBA de Harvard, que tem 9 filhos e 12 diplomas honorários de doutorado.
Covey, S. *Sete Hábitos das Pessoas Altamente Eficazes*. Rio de Janeiro: Best Seller, 1989.

Eckhart Tolle, que em seu *website* tem uma foto do comediante Jim Carrey dizendo: "Eu faria qualquer coisa para estar próximo de Eckhart Tolle", sugere que o agora seja o principal foco de sua vida.
Tolle, E. *O Poder do Agora*. Rio de Janeiro: Sextante, 2005.

Entrevista com o pesquisador de Stanford, Clifford Nass, sobre *multitask*. *NPR*. *The Myth of Multitasking*. Disponível em: <http://www.npr.org/2013/05/10/182861382/the-myth-of-multitasking>. Acessado em setembro de 2014.

Estudo do pesquisador de Stanford, Clifford Nass, sobre *multitask*.
Gorlick, A. *Media Multitaskers Pay Mental Price, Stanford Study Shows*. Disponível em: <http://news.stanford.edu/news/2009/august24/multitask-research-study-082409.html>. Acessado em setembro de 2014.

Livro sobre o capitalismo consciente, que busca promover a transformação das empresas em ambientes de desenvolvimento e harmonia, contribuindo para um mundo mais equilibrado. Seus quatro princípios básicos são: propósito, liderança, cultura e *stakeholder*.
Sisodia, R. S; Sheth, J. N.; Wolfe, D. B. *Firms of Endearment: How World-Class Companies Profit from Passion and Purpose*. New Jersey: FT Press, 2007.

Nada melhor do que uma frase do bilionário autor para sintetizar o principal argumento do livro a seguir. Mackey afirma que: "Empresas conscientes criam valor duradouro para o mundo evoluir para níveis ainda maiores de prosperidade, ajudando milhões de pessoas a florescer e levar vidas repletas de paixão, propósito, amor e criatividade – um mundo de liberdade, harmonia, prosperidade e compaixão".
Strong, M.; Mackey, J. *Be the Solution: How Entrepreneurs and Conscious Capitalists Can Solve All the World's Problems*. Hoboken: Wiley, 2009.

O repórter investigativo Charles Duhigg apresenta o resultado de duas décadas de pesquisas ao lado de sociólogos, publicitários, psicólogos e cientistas sobre comportamento.

Duhigg, C. *O Poder do Hábito*. Rio de Janeiro: Objetiva, 2012.

Pesquisas de neurocientistas da Unidade de Neuroimagem Cognitiva do Instituto Nacional da Saúde e da Pesquisa Médica da França (na sigla em francês, Inserm), agência de pesquisa médica francesa, revelam que quando focamos em duas atividades ao mesmo tempo, cada lado do cérebro foca em uma atividade.

Lapowski, I. *Don't Multitask: Your Brain Will Thank You*. Disponível em: <http://business.time.com/2013/04/17/dont-multitask--your-brain-will-thank-you/>. Acessado em setembro de 2014.

Publicado pela primeira vez em 1881, é o primeiro grande romance de Henry James, e talvez sua obra máxima.

James, H. *Retrato de uma Senhora*. São Paulo: Companhia das Letras, 2007.

Segue uma série de artigos sobre *multitasking*:

Harmon, K. "Motivated Multitasking: How the Brain Keeps Tabs on Two Tasks at Once". *Scientific American*. 15/04/2010.

Richtel, M. "Multitasking Takes Toll on Memory, Study Finds". *The New York Times*. 11/04/2011.

Strayer, D.; Watson, J. "Supertaskers and the Multitasking Brain". *Scientific American Mind*. 16/02/2012.

Tugend, A. "Multitasking Can Make you Lose... um... Focus". *The New York Times*. 24/10/2008.

Wallis, C. "genM: The Multitasking Generation". *Time*. 27/03/2006.

Capítulo 8

Barbosa, M. *Quero ser o Starbucks da Educação, diz dono da Wizard*. Disponível em: <http://www1.folha.uol.com.br/mercado/2013/05/1279424-quero-ser-o-starbucks-da-educacao-diz-donoda-wizard.shtml>. Acessado em setembro de 2014.

Baseado em pesquisas do Instituto Gallup, a principal tese deste livro é de que vale mais a pena aperfeiçoar os seus pontos fortes do que melhorar seus pontos fracos. Um rápido teste *on-line* acompanha este livro.

Buckingham, M.; Clifton, D. O. *Descubra seus Pontos Fortes*. Rio de Janeiro: Sextante, 2008.

Biografia de Carlos Wizard Martins. Enredo cinematográfico e extremamente bem escrito por renomado e prolífico autor.

Brandão, Ignácio Loyola de. *Carlos Martins Wizard – Sonhos não Têm Limites*. São Paulo: Gente, 2013.

Eike Batista foi quem escreveu o prefácio deste livro que mescla alguns ensinamentos religiosos com dicas para prosperar economicamente.

Douglas, W.; Teixeira, R. *As 25 Leis Bíblicas do Sucesso*. Rio de Janeiro: Sextante, 2012.

Forbes explica a fortuna de Jay-Z e de outros *rappers* norte-americanos.

Greenburg, Z. *Who Will Be Hip-Hop's First Billionaire?* Disponível em: <http://www.forbes.com/sites/zackomalleygreenburg/ 2011/09/22/who-will-be-hip-hops-first-billionaire-jay-z-diddydr-dre-birdman-50-cent/>. Acessado em setembro de 2014.

Livro escrito por Carlos Wizard antes de entrar para a lista de bilionários da *Forbes*. Ele parecia já conhecer e querer compartilhar o caminho para a riqueza.

Martins, C. W. *Desperte o Milionário que Há em Você*. São Paulo: Gente, 2012.

O bilionário Steve Ballmer, que foi colega de quarto de Bill Gates em Harvard e recentemente comprou o time da NBA Los Angeles Clippers, deu um inspirador discurso aos recém-graduados da Universidade USC Marshall.

Ballmer, S. *USC Commencement Adress*. Disponível em: <https://commencement.usc.edu/files/2012/12/PastSpeeches-Ballmer.pdf>. Acessado em setembro de 2014.

Que tal explicar 2.600 anos de história da humanidade a partir de 50 frases. A autora topou este desafio e no primeiro capítulo

revela a polêmica sobre quem foi o autor do mantra "Conhece-te a ti mesmo".
Hesse, H. *A História do Mundo em 50 Frases*. Rio de Janeiro: Casa da Palavra, 2012.

Vídeo de papo descontraído, mas cheio de pérolas entre o bilionário Buffett, o rapper Jay-Z, e o chefão Steve Forbes, que já concorreu às eleições presidenciais dos EUA duas vezes.
AuxoHomesTV. *Billionaire Investing Secrets: Warren Buffett Interview with Jay-Z and Forbes*. Disponível em: <http://www.youtube.com/watch?v=NizRoKXjhhM>. Acessado em setembro de 2014.

QUER SABER MAIS SOBRE A LEYA?

Fique por dentro de nossos títulos, autores e lançamentos.

Curta a página da LeYa no Facebook, faça seu cadastro na aba *mailing* e tenha acesso a conteúdo exclusivo de nossos livros, capítulos antecipados, promoções e sorteios.

A LeYa também está presente no Twitter, Google+ e Skoob.

www.leya.com.br

facebook.com/leyabrasil

@leyabrasil

google.com/+LeYaBrasilSãoPaulo

skoob.com.br/leya

1ª edição Novembro 2014
papel de miolo Offset 75 g/m²
papel de capa Supremo 250 g/m²
tipografia Georgia e Minion